La fille
d'Hô Chi Minh-Ville

Robert Olen Butler

La fille
d'Hô Chi Minh-Ville

Roman traduit de l'anglais (États-Unis)
par Isabelle Reinharez

Rivages

Couverture : D.R.

Titre original : *The Deep Green Sea*
Henry Holt and Company, Inc., New York, 1998

© 1998, Robert Olen Butler
© 1999, Éditions Payot & Rivages
pour la traduction française
© 2001, Éditions Payot & Rivages
pour l'édition de poche
106, boulevard Saint-Germain - 75006 Paris

ISBN : 2-7436-0792-0
ISSN : 1160-0977

À Elizabeth Dewberry

Et puis il vient un moment, qui tombe brusquement sur nous, où le bruit des motos de la rue s'est atténué presque jusqu'au silence, je sens, vaguement, l'encens que j'ai brûlé, et je suis nue enfin. Il est nu lui aussi, bien que je n'aie pas encore laissé mes yeux aller plus loin que son visage, ses bras, ses mains. Il est très doux, très prudent, et à ma surprise, je dis : « Je n'ai encore jamais fait ça. »

Je suis étendue sur mon lit, il est à côté de moi, nous sommes éclairés par le néon de l'hôtel d'en face et il n'a touché que mes épaules. Ses mains y vont et viennent quand je prononce ces mots, et elles hésitent. Il y a aussi une hésitation en moi. J'entends ce que j'ai dit. Un endroit tout au fond de moi dit que ces paroles sont vraies, et un autre dit que je suis une menteuse.

J'ai vingt-six ans et j'ai été avec deux hommes dans ma vie. Mais je n'ai jamais été avec eux dans ce lit, je n'ai jamais été avec eux dans cette pièce où j'ai été une enfant de ma grand-mère, cette chambre où j'ai installé l'autel en l'honneur de mon père mort, et quand j'ai ôté mes vêtements avec ces hommes, je n'ai pas eu l'impression que j'étais nue avec eux, alors que j'aurais bien voulu. Il y avait de la peur dans mon cœur et de l'incompréhension dans leurs yeux, et quand nous avons quitté les lieux où nous nous étions caressés, je n'ai rien ressenti sinon que j'étais seule.

Jusqu'à ce moment avec Ben, j'ai su comment comprendre ça. Je suis une fille de ce Viêt-nam nouveau. Je ne suis pas ma mère, qui est d'un Viêt-nam différent et qui avait sa peur et son incompréhension à elle avec les hommes, ma mère qui est loin de moi. Je suis seule dans ce monde mais pas de problème, je me suis toujours dit, parce que dans une grande république socialiste nous sommes tous égaux et chacun de nous peut trouver une place dans l'État qui nous rassemble tous. Il n'y a pas de solitude.

Pourtant tout est différent maintenant. Je suis brusquement différente. Je suis nue. C'est ce que j'aimerais lui dire avec mes paroles. C'est ce que j'aimerais me dire.

Il y a un déferlement de bruit dans la pièce, les motos de nouveau, les autres qui tournent sans cesse dans les rues d'Hô Chi Minh-Ville un samedi soir, et j'aimerais que le silence revienne. Je veux entendre le bruit de sa respiration. Je veux entendre le léger étirement de son corps à l'intérieur de sa peau tandis qu'il se soulève et s'écarte légèrement de moi, perdu dans ses pensées, et qu'il tourne la tête vers la fenêtre.

Son torse est nu et le mien aussi. Je sens mes mamelons se durcir à sa seule pensée et je veux le silence, je veux aussi que la lumière soit meilleure. Je veux regarder son corps, cette partie-là du moins. Rien de plus pour l'instant. Je veux commencer par son torse nu et aussi ses mains, que j'ai pu voir ces jours derniers mais que je n'ai pas encore véritablement regardées. Je prends une de ces mains dans les miennes pendant qu'il réfléchit à ce que j'ai dit. Je la prends, et dans la flamme rouge et froide de la lumière au néon j'aperçois sa grosse main. Il a travaillé dans une aciérie autrefois. Il m'a parlé de

10

son feu. Il a travaillé autrefois à conduire un gros camion sur des milliers de miles à travers son pays, les États-Unis d'Amérique, accroché au volant de son camion, et j'aime les veines sinueuses de cette main que je tiens. « C'est d'accord », dis-je. Je soulève sa main et la pose sur mon torse. Je couvre mon mamelon plein de désir.

Je baisse les yeux vers sa main posée sur moi, elle est très grande et mes propres mains sont petites, mes doigts sont minces et les siens ne le sont pas, les siens sont gros et sa peau dans la clarté de la lune et de l'hôtel d'en face semble pâle, la mienne semble plus sombre. Je suis vietnamienne. Chaque enfant vietnamien entend raconter l'histoire de la naissance de notre pays. Il y a très long-temps, un dragon qui régnait sur tous les océans vivait dans son palais, très loin tout au fond de la mer de Chine méridionale. Il finit par se sentir très seul, alors il émergea de la mer et s'envola vers la terre, les jungles, les montagnes et les plaines luxuriantes qui sont aujour-d'hui notre Viêt-nam. Là, il rencontra une princesse des fées. Une très belle princesse. Et ils tombèrent amou-reux. Voilà ce qu'on nous raconte tellement facilement, et personne ne pose jamais de questions à sa mère, à sa grand-mère, à sa tante ou à son amie cachée avec elle entre les sombres racines d'un banian, même ici à Sai-gon, le grand banian dans le parc le long de Dong Khoi qui était là une centaine d'années avant la révolution. C'est là que j'ai entendu raconter l'histoire, dans la rue, et on ne pense jamais à demander à celui ou à celle qui est avec vous : Comment est-ce arrivé ? Comment ce sentiment est-il né entre deux créatures si différentes ? Mon amie Diep, qui était elle aussi la fille d'une prosti-tuée, mais d'une prostituée qui n'a pas fui, qui n'a pas confié sa fille pour une vie qu'elle jugeait meilleure, mon amie m'a chuchoté cette histoire à l'oreille, une bande de lumière s'étalait sur son visage à travers les

11

racines tordues du banian, et elle a dit que la princesse des fées et le dragon tombèrent amoureux et qu'ils se marièrent, et puis qu'elle pondit une centaine d'œufs dans un beau sac en soie. Et j'ai simplement dit : Oui, comme si je comprenais une chose pareille. J'ai dit : Est-ce qu'il l'aimait très fort ? Oui, a répondu Diep. Très fort.

Et la princesse eut une centaine d'enfants. Qui n'eurent pas d'enfance. Ils devinrent instantanément dès la naissance de très beaux adultes. Diep m'a raconté qu'ils étaient princes et princesses. Cinquante garçons et cinquante filles. Pendant un certain temps ils vécurent tous ensemble, la princesse des fées était heureuse et les enfants étaient heureux. Mais pas le dragon. La mer lui manquait. Un jour la princesse des fées se réveilla et il était parti. Il était retourné dans son palais au fond de l'eau. Elle comprit. Elle essaya de continuer à vivre sans lui. Mais c'était très difficile parce qu'elle l'aimait très fort. Alors elle le rappela. Je ne sais pas comment. Je n'ai pas pensé à demander. D'une façon ou d'une autre il sut qu'il fallait revenir et pourtant il ne put pas rester. Il lui expliqua que leurs différences étaient trop grandes. Il ne pouvait pas être heureux sur la terre. Il devait retourner dans son palais, mais il promit pourtant que si elle venait à rencontrer quelque danger ou terrible épreuve il reviendrait l'aider. Il emmena donc cinquante de leurs enfants avec lui et repartit dans la mer. Et elle emmena cinquante de leurs enfants avec elle dans les montagnes. Et ces enfants devinrent le peuple vietnamien.

Cela m'a paru une très belle histoire triste. Et puis je suis rentrée à la maison dans cette même pièce où je suis couchée avec cet homme. Il y a des années, ici même, je suis rentrée retrouver ma grand-mère, je lui ai raconté l'histoire et elle a dit qu'elle était vraie.

Non. Pas ma grand-mère. Elle et moi avons vécu dans

cette pièce pendant presque tout le temps où j'étais enfant. Mais j'ai entendu parler du dragon et de la princesse des fées avant cela. Je suis rentrée retrouver ma mère, ce n'était pas loin d'ici mais pas dans cette pièce, j'avais peut-être sept ans, je lui ai raconté l'histoire et elle a dit qu'elle était vraie. Mais elle a corrigé une chose. Il n'y avait que des fils. Une centaine de fils. Et l'aîné devint le premier roi du Viêt-nam. Je n'ai rien demandé de plus, pas posé les questions qui maintenant déferlent et se brisent en moi plus violemment que les vagues de la mer tant aimée du dragon. C'est à ça que je songe tandis que dans mon lit je tiens la main de cet homme : comment regarda-t-elle son dragon la première fois qu'elle s'étendit à ses côtés ? La princesse prit-elle la grande main couverte d'écailles de cette créature qu'elle aimait déjà si fort, prête comme elle l'était à lui ouvrir son corps, posa-t-elle ses petites mains satinées sur la sienne et passa-t-elle gentiment ses doigts sur les couches de sa peau dure qui sentait encore la mer, effleura-t-elle le bout de ses griffes, plongea-t-elle son regard dans ses grands yeux rouges et y vit-elle toute la tendresse dont elle avait rêvé ? La réponse est sûrement oui. C'est sûrement ce qu'elle fit.

Je ne distingue pas les yeux de Ben. Pas leur couleur. Pas ce qu'il peut y avoir en eux de son cœur. Il tourne son visage vers moi quand je le guide pour qu'il touche mon sein, il n'y a que de l'ombre à l'endroit de ses yeux et je ne vois rien. Mais je le sens à travers sa main. Il est très doux à cet endroit d'aciérie et de camions et je sais qu'il aime mon contact, je le sais même si à l'instant il soulève la main. À peine, si bien qu'il ne me touche pas avec sa chair, mais que je sens encore sa chaleur. « Tu es sûre ? » dit-il. Il croit à ce que j'ai dit. Je le crois, moi aussi. Et je suis sûre de ceci : avec cet homme je suis nue et je n'ai pas l'impression d'être seule.

13

«Oui», dis-je, et il pose sa main sur moi mais pas sur mon mamelon. Il pose sa main au centre de ma poitrine, entre mes seins, et le bout de son majeur est dans le creux de ma gorge. On dirait qu'il touche tout mon corps avec sa paume, je ne sais pas ce qui va se passer et je me dis que ça m'est égal.

Elle me dit que je suis le premier homme avec qui elle l'ait jamais fait et je m'arrête net. Ça ne changerait rien à mes sentiments pour elle, mais quand elle dit qu'elle n'a encore jamais fait l'amour, j'ai vraiment l'impression qu'on m'offre une sorte de seconde chance. Je lui dis presque que moi c'est pareil. Merde alors, avoir la possibilité de recommencer là où il n'y a aucun souvenir, pas de questions à poser, rien sinon ce qu'il y a pour vous deux en cet instant précis, sans le moindre passé, c'est presque trop beau pour être vrai. Et à ma surprise, mon visage s'enflamme et je ressens dans les yeux l'impression qu'on a quand on s'avance devant un four à coke et qu'on prend le premier souffle de chaleur avant de se mettre à pelleter le trop-plein.

Comme ça peut-être, comme une sensation à l'aciérie, mais c'est un peu des conneries de ma part. En fait, c'est comme quand on va fondre en larmes. Cette femme étendue là dans une chambre à peine éclairée disant qu'elle est vierge, qu'elle me veut dans son corps et qu'elle est qui elle est, cette façon qu'elle a de m'écouter parler avec ces yeux sombres et tendres qui ne se détournent jamais, même pas une seconde, et elle m'emmène dans une pièce comme ça et dit si facilement : Voici mon bouddha porte-bonheur, et là mon bouddha de longue vie, et là l'autel de mes ancêtres, et c'est comme si elle pensait que je vais comprendre tout ça sur-le-champ. Elle m'intègre simplement à tout ça, alors

14

qu'un ou deux de ces trucs devraient me paraître idiots, des petits gars bedonnants en céramique assis par terre, mais je n'ai pas envie de me moquer d'eux, ou alors peut-être rien qu'un rire de plaisir silencieux qu'elle soit ainsi. Une femme du Viêt-nam. Dans une chambre de ce foutu Saigon, après tout. Ces gens dehors qui tournent sans cesse toute la nuit sur leurs motos, une flopée de gens, peut-être des gars dont le boulot il y a vingt ans était de tuer des Américains. Et elle me dit qu'il n'y a pas du tout de passé, et elle me veut et j'ai l'impression que je vais me mettre à chialer.

Alors je tourne la tête vers la fenêtre. Et j'espère que ça va aller pour elle. J'espère qu'il ne faut pas qu'elle attende l'homme qu'elle va épouser, encore que je n'aie pas entièrement exclu que l'homme qu'elle risque d'épouser ce soit moi. Si je m'imaginais le contraire, je crois que j'aurais assez de volonté pour me lever, la remercier aussi gentiment que possible pour que ça ne la blesse pas, et que je foutrais le camp d'ici. Mais je me rends compte — et ça me fait un choc, à vrai dire — que ça risque d'être moi. Il a fallu que je revienne dans ce foutu Viêt-nam pour comprendre que je pourrais de nouveau être marié à quelqu'un. Et juste au moment où j'en arrive à ce petit choc, Tien dit : « C'est d'accord », et elle prend ma main et la pose sur son sein.

C'est le premier vrai contact. Le premier contact sexuel. Nous sommes à demi nus et nous nous sommes embrassés, mais c'est le premier contact. J'écarte la main, mais pas beaucoup. Je ne peux pas dire que quelque chose me met en garde. Je veux simplement être sûr qu'elle ne se méprend pas sur ce qu'elle veut. Ils pensent à ces trucs-là de façon un peu différente par ici. Même si les communistes sont au pouvoir, on dirait que les gens continuent à penser selon des modes plus anciens. Je ne veux pas qu'elle se retrouve persuadée qu'elle est gâchée pour un autre homme, on ne sait jamais. Bien que j'aie salement envie de poursuivre. Et ça fait longtemps que ça ne m'est pas arrivé comme ça. Je n'essaie même pas de penser à la dernière fois. Je soulève la main juste un petit peu, ma paume brûle à l'endroit du minuscule point dur où se trouvait le bout de son mamelon, et ce à quoi je pense c'est à un moment où je trimballais du pétrole le long de la côte californienne, il y a quelques années de ça maintenant, je suis descendu de mon bahut sur une aire de repos quelque part dans la vallée de San Joaquin, il faisait nuit et l'air était chargé de l'odeur des oranges. Deux Peterbilt venaient de partir en soufflant, ils étaient pleins d'oranges et l'odeur était partout, ça et l'odeur du gazole, et brusquement j'ai eu salement envie d'une femme. Je ne savais pas trop pourquoi mais on aurait dit que ça avait quelque chose à voir avec ici. Saigon. Les rues ici sont toujours pleines de ce genre de mélange d'odeurs, un truc suave, des fruits ou des fleurs ou de l'encens, mais aussi quelque chose d'autre dans le même air, la pourriture sèche ou le vieux poisson ou les gaz d'échappement des motos. Je suis descendu de mon camion, ce qui faisait figure de mariage dans ma vie était déjà mort, ça m'était égal que ma quéquette ne revoie jamais la lumière du jour, et c'était un truc qui sentait comme le Viêt-nam qui m'a redonné l'envie d'une femme.

Je pousse Tien un petit peu. « Tu es sûre de vouloir ? » Je pose la question et j'espère que la réponse sera oui. Et c'est oui. Elle le dit tout de suite et je pose ma main au milieu de son torse, je voudrais que ma main soit assez grande pour la tenir dedans, tout entière, la couvrir simplement avec la paume de ma main, l'y garder en sécurité et la rendre heureuse. J'en ai mal aux épaules de vouloir ça. Et le mélange de choses flotte dans l'air à ce moment précis. L'encens de l'autel de ses ancêtres, l'odeur de toutes ces motos bon marché dehors, et quelqu'un dans une pièce voisine qui cuisine avec l'huile de poisson d'ici.

Peu de temps après être revenu ici au Viêt-nam, je me suis rendu dans cette rue que j'avais connue autrefois. C'était la seule qui me soit restée en tête après toutes ces années. Et c'était à cause d'une femme. Je crois que nous avons employé le mot *amour* l'un avec l'autre pendant quelques mois, tous les deux. Quoi que pût bien être l'amour pour moi à vingt ans. Et il y a eu quelque chose entre nous pendant un moment. Quelque chose. Mais je ne suis pas revenu ici à sa recherche. C'était simplement une rue que je connaissais. Il y avait des bars par ici, en 1966. Un magasin de vêtements maintenant. Une échoppe de nouilles. Un endroit sur le trottoir où l'on répare des pneus. Rien qu'une rue avec sa vie en plein air, comme la vie dans cette ville a toujours paru l'être et l'est encore, j'ai marché dans le coin et puis je me suis assis à une petite table en plastique dans la gueule ouverte de l'échoppe de nouilles, comme un garage, et j'ai bu un Coca tiède, en évitant les glaçons, c'était tout ce dont j'avais à me préoccuper maintenant, de l'eau, et j'ai regardé ces gens aller et venir, et je suis resté immobile en sachant que je n'avais plus à avoir peur du Viêt-nam.

L'eau et les chiens. Ils filent toujours la queue basse comme si chacun d'eux avait été battu depuis la naissance, mais je ne leur fais pas confiance. Ils sont ronds, les oreilles en cuillère, plus proches des dingos ou des hyènes que des chiens américains, et pendant que j'étais assis là ce premier jour chez le marchand de nouilles, l'un d'eux est arrivé la truffe au sol, s'est arrêté devant une tache sur le trottoir et puis il m'a vu qui l'observais et il a aussitôt reculé, en baissant la tête comme si j'avais levé la main pour le frapper. Je me disais que je ne devrais pas réagir de cette façon. Il en avait bavé quand il était chiot, voilà tout, et j'ai ravalé mon énervement, je l'ai appelé d'un petit claquement de langue. Du coup il s'est arrêté mais de toute évidence il n'allait pas s'approcher de moi. « Méfiez-vous de tous les chiens », a lancé une voix et j'ai levé les yeux sur son visage.

Ce premier instant où je l'ai vue, j'ai un peu tressailli au fond de moi, son visage était si beau. Et comme avec tous ces Vietnamiens, ça m'a surpris. Il y a toujours quelque chose qui flotte sur un visage vietnamien à quoi on ne s'attend pas. Il y avait une vieille femme, les gencives rouges à force de mâcher des feuilles de bétel, qui était accroupie depuis un bon moment à ma gauche, buvant sa soupe avec son bol plaqué contre son visage depuis le début, mais une fois elle m'avait jeté un coup d'œil, tout juste deux minutes avant que j'appelle le chien d'un claquement de langue et mette tout en branle, elle avait souri de son sourire rouge vif et dans ses yeux il y avait la couleur d'eau d'une grande route qui, devant vous, reflète le ciel. Humide et presque bleue, mais sombre à cause du béton. Et j'ai pensé, quand j'ai vu les yeux de la *mama-san*, que son père était français ou quelque chose dans ce genre. Alors quand j'ai eu ce beau visage devant moi me recommandant de me méfier des chiens, je n'ai pas été surpris par ce à quoi on ne s'attend pas dans ses traits. Ses yeux étaient très sombres mais pas tellement bridés. Leur contour paraissait doux et son visage n'était pas tellement rond. Elle avait quelque chose de carré dans la mâchoire, et une bouche qui maintenant souriait un peu mais d'un côté seulement, sa peau était pâle et je me suis simplement redressé et j'ai pensé : Bon Dieu de merde, ça c'est une belle femme, et elle a dit : « Ils pourraient être malades. » Elle s'était exprimée en anglais, elle aussi, presque sans accent.

«Merci», ai-je répondu, et déjà elle s'éloignait. Comme ça. C'est tout. Elle s'est engagée dans un passage quelques boutiques plus loin, puis elle a disparu et je suis resté assis là à me demander ce qui avait bien pu se passer. J'ai tourné les yeux vers l'endroit où était le chien mais il avait filé. J'ai pensé à me lever, à descendre vers le passage et à regarder au moins par où cette femme avait disparu, mais je n'en ai rien fait. La *mamasan* était partie elle aussi. Il y avait un bourdonnement et une ruée de motos dans la rue, évidemment, et des gens accroupis sur le trottoir de part et d'autre, mais c'était l'heure du jour, à Saigon, où si l'on est à pied et qu'on se trouve un peu d'ombre, on ne bouge plus, personne n'était près de moi ni ne venait vers moi, et l'espace d'un instant je me suis senti absolument seul. Au cœur de cette ville entre toutes les villes, je me sentais invisible et c'était une impression à laquelle, je m'en rendais compte, je voulais m'accrocher un moment, alors je ne me suis pas levé. J'ai laissé son visage s'estomper, j'ai attendu et j'ai même fermé les yeux.

Et puis un klaxon a retenti tout près. J'ai ouvert les yeux, au bord du trottoir il y avait une Renault avec un autocollant Saigontourist sur la vitre arrière, et j'ai su qu'elle allait réapparaître. Et c'est ce qu'elle a fait. Hors de ce passage, d'un bord à l'autre du trottoir et dans la voiture, et elle ne m'a même pas jeté un autre coup d'œil. Alors j'ai pensé : Voilà c'est fini. Mais une semaine plus tard j'ai la main sur son torse nu, elle dit oui, que c'est d'accord et je ne bouge toujours pas. Cette fois-ci c'est parce que je suis assis là à m'émerveiller du retournement que ma chance semble connaître.

Il ne bouge pas la main quand je lui dis que c'est d'accord. Je suis prête pour ce moment-là, mais il attend. Ça me plaît de sa part. Il sera très doux avec moi. Très lent. Je tends l'oreille pour l'entendre respirer. Il y a encore trop de bruits nocturnes et je lui dis : «Approche ton visage du mien, s'il te plaît. »

Ça lui fait dresser la tête, comme s'il n'avait pas compris. «Approche ton visage», dis-je et il le fait, en se glissant vers moi, il pense que je veux qu'il m'embrasse et je dis, quand il est tout près, quand son souffle a touché ma joue : «Là, voilà. Attends un petit peu, s'il te plaît. Je veux savoir que tu es réel. » Il attend. Il est réel. Je sens son souffle sur moi.

Le jour où je l'ai vu pour la première fois, je n'ai pas voulu le regarder une seconde fois. Pas directement. Mais j'ai jeté un coup d'œil dans le rétroviseur quand la voiture a démarré. Je suis une fille prudente. J'avais déjà agi différemment de ce que je suis en découvrant un Américain assis quasiment sous ma fenêtre et en lui parlant, même si c'était pour son bien. À présent je ne l'apercevais plus qu'à travers un miroir, comme dans la légende américaine que j'avais lue, l'histoire d'un homme et d'une femme avec des serpents en guise de cheveux, qui pouvait changer cet homme en pierre s'il la regardait directement. Il avait le visage tourné dans ma direction, je me suis demandé s'il pouvait me voir qui l'observais dans ce petit miroir, et puis du regard j'ai cherché le chien. Je craignais que cet homme essaie de le caresser et que le chien le blesse. Je n'ai pas vu de chien et j'ai pensé qu'en vérité je ne m'intéressais pas tant que ça à l'endroit où se trouvait le chien, et quand la voiture a commencé à rouler et que le visage de l'homme a disparu, j'étais un peu en colère contre moi à cause de ma timidité.

Mais je ne suis pas timide quand il approche son visage du mien dans mon lit. Je sens son souffle sur moi et je recule juste un petit peu pour le voir distinctement.

Ses yeux sont très sombres, comme un Vietnamien, à mon avis. Et encore une fois ça me rappelle le dragon. Il y a beaucoup de lignes droites sur la face d'un dragon, d'angles droits. Le visage de Ben en est plein. En bas de son visage, à la mâchoire, il a quelque chose de carré qui à mon avis est comme la tête d'un dragon. J'essaie toujours de comprendre l'histoire que j'ai apprise de mon amie au creux du banian. L'espace d'un instant j'essaie de voir la monstruosité d'une pareille tête comme de la beauté. Je veux parler de la tête du dragon. Quand je sens le souffle de Ben et qu'il devient réel, quand je sais que cet homme réel va bientôt poser ses mains sur moi, sa bouche et toutes les parties secrètes de son corps, je ne le trouve pas monstrueux. Mais je pense qu'il peut m'aider à comprendre, parce que cette nuit il y a quelque chose au fond de moi qui a peur, en même temps qu'il y a autre chose au fond de moi qui veut aller vers lui, passer la main derrière sa tête et l'attirer contre moi.

Je me dis : la princesse des fées aimait le dragon. Elle l'aimait. Il y a des choses qui nous effraient un certain temps et puis, dans cet intense sentiment de crainte, nous découvrons un sentiment intense différent. J'ai vécu quelque temps dans une pièce pas très loin de celle-ci. J'étais encore avec ma mère et c'étaient les soirs où elle ne me confiait pas à ma grand-mère. Je sais maintenant que c'était quand il n'y avait pas d'homme pour toute la nuit venu du bar où elle travaillait. Il pouvait y avoir un homme dans l'après-midi, mais elle ne se couchait pas nue avec lui pendant la longue nuit jusqu'au matin, et c'était ces fois-là où elle me gardait sur une paillasse à côté d'elle. Et quand venait la saison des pluies je m'éveillais au son du tonnerre. Les orages arrivaient et mugissaient dans l'air, je les entendais avec mes oreilles mais je les ressentais aussi dans mon corps, chaque cri.

Et pendant quelques années ça s'est passé comme ça. Le cri du tonnerre me portait dans le lit de ma mère les nuits où il n'y avait personne d'autre, et elle me prenait dans ses bras.

Parfois je trouvais au lit une odeur très étrange, pas du tout l'odeur de ma mère, quelque chose d'humide, un peu comme la pluie qui se ruait dehors mais plus forte, plus épaisse, une odeur plus semblable à la saumure, à la mer. Pendant un certain temps je me suis demandé si elle était aimée par un dragon. Le tonnerre fouettait mon corps, cette odeur était en moi et ma mère était nue sous le mince peignoir de soie qu'elle portait, elle me tenait tout contre elle et je rêvais du dragon émergeant de la mer de Chine méridionale, volant vers elle et l'aimant d'une façon que je ne comprenais pas, puis il s'élevait dans le ciel parce que son royaume avait besoin de lui, il ne voulait pas partir mais il n'avait pas le choix, il s'élevait haut dans les airs, il hurlait son chagrin, et ma mère le ressentait dans son corps, je le ressentais dans le mien, puis le dragon précipitait la mer sur nous pour lui rappeler son amour et s'envolait au loin. J'en vins ainsi à aimer le tonnerre. Les nuits où j'étais avec ma mère je m'approchais de la fenêtre à cet appel, j'ouvrais le volet et je laissais le son me prendre dans ses mains, me serrer jusqu'à ce que je sois trempée de pluie et que ma mère me tire en arrière. Par jalousie, croyais-je. Et quand ma mère fut partie et que les roquettes apportèrent un autre tonnerre à Saigon, j'allais à la fenêtre, le ciel était rouge et ma grand-mère me tirait en arrière et me disait qu'il y avait quelque chose de dangereux là-dehors. Mais j'aimais toujours le bruit. J'aimais cette chose que j'avais crainte autrefois.

Je soulève ma main et la passe derrière la tête de Ben, il n'est pas mouillé par la mer et sa chair n'est pas recouverte de dures écailles. Il est doux. Ses cheveux sont doux et je laisse mes doigts glisser dans ses cheveux, je l'attire contre moi et il ne se précipite pas, il me laisse l'amener à moi aussi lentement qu'il me plaît. Et puis son souffle est sur mon visage et ses lèvres touchent les miennes.

J'ai connu d'autres baisers. Un garçon, flou maintenant dans mon esprit, pendant les sombres années du début de notre république socialiste, j'avais seize ans, il était garde à la maison de la Réunification, il portait un uniforme de la couleur d'un gecko des arbres et nous passions l'un sur l'autre aussi légèrement que cela, à la façon des lézards. Et il y a eu M. Bao, qui pendant un moment était chauffeur pour Saigontourist. Il m'a demandé un soir d'aller dans un cinéma qui passe des films d'Amérique. C'est dans une grande salle avec un écran très loin et il y fait très sombre. Il m'a demandé d'aller là-bas parce qu'il y aurait Elizabeth Taylor et Paul Newman dans un film intitulé *Une chatte sur un toit brûlant*. Il ne parlait pas bien l'anglais et il voulait que je lui explique le sens de ce titre. Je ne savais pas. Ce n'était pas une expression que j'avais apprise. J'ai dit que ce devait être une légende américaine qui serait dévoilée dans le film.

Il faisait si sombre que nous n'y voyions rien pour changer de place quand le film a commencé, mais tout autour de nous il y avait des couples qui s'embrassaient. C'est le seul lieu public dans notre ville où c'est possible. À l'écran il y avait une voix de femme qui traduisait toutes les paroles du film en vietnamien, pour tous les personnages, à la fois hommes et femmes. Je ne percevais qu'un murmure d'Elizabeth Taylor et de Paul Newman qui parlaient sous cette seule voix féminine. Je tendais l'oreille pour écouter les voix américaines, mais je ne distinguais pas un seul mot. Je commençais à m'agacer du son même de ma propre langue. J'aurais dû en avoir honte, je crois. Mais je ne me souciais que de ces Américains à l'écran. Je me sentais de plus en plus honteuse, consciente à présent de mon attachement secret pour ces gens. Mais Elizabeth Taylor était très belle, son mari était très dur avec elle et j'étais préoccupée. Il n'avait pas envie de la toucher, malgré sa beauté. Et il était furieux contre son propre père, aussi. Le père voulait à tout prix faire plaisir à son fils. Il faisait de gros efforts, je crois. Il était là dans une grande maison avec son fils, il faisait de gros efforts, et j'étais de plus en plus en colère contre Paul Newman parce qu'il ne comprenait pas.

Ces pensées étaient en moi quand la main de M. Bao s'est avancée, a fait pivoter mon visage vers lui, et qu'il a posé ses lèvres sur les miennes. Au contact de ses lèvres je n'ai senti qu'une petite boule dure dans ma poitrine. J'ai reculé. Il a dit qu'il était désolé, j'ai dit : Pas de problème, et nous avons tous les deux regardé l'écran. Je voulais bondir de mon siège et crier à Paul Newman d'aller vers son père et de le serrer dans ses bras. C'est ton père, crierais-je, tu devrais être reconnaissant d'avoir son amour. Et puis je dirais à Paul Newman d'aller vers sa femme et de faire ce qu'elle désirait. Les gens devraient se toucher quand ils en ont besoin. J'entendais ces mots dans ma tête, je ressentais le chagrin d'Elizabeth Taylor comme si c'était le mien et j'ai tourné les yeux vers l'obscurité où était assis M. Bao, encore blessé par ma froideur.

Alors de la main j'ai tourné son visage vers moi et nous nous sommes embrassés encore un petit peu, et pourtant je me posais cette question : pourquoi les gens recherchent-ils tellement cela, et puis le temps a passé après ce soir-là et finalement nous nous sommes retrouvés au lit chez lui, et à chaque caresse échangée ce que je voulais tant ressentir murmurait sous nos actes à la façon des voix des acteurs américains dans le film, disant des choses que je voulais entendre mais qui étaient noyées sous cette autre voix, trop familière. Après j'étais étendue à côté de M. Bao, toutes les voix s'étaient tues et quand il a eu une petite toux j'ai sursauté, parce que j'avais oublié qu'il était là.

Alors je me suis levée et j'ai quitté M. Bao, et ensuite je n'ai plus touché un homme. J'étais libre de le faire. Mais j'ai choisi de ne pas le faire. J'ai pris ma place dans l'État, en travaillant chez Saigontourist pour montrer la vérité de notre façon de vivre aux gens d'autres pays qui viennent ici. Et depuis voici comment je vis. Quand je ne travaille pas, avec mes quelques amies nous allons au cinéma, dans un parc, au restaurant, au karaoké, ou au spectacle dans le théâtre qui, autrefois, était l'Opéra français et ensuite le bâtiment de l'Assemblée nationale du gouvernement fantoche du Viêt-nam divisé. Ou bien je reste assise seule dans cette pièce, je lis un livre, j'écoute à la radio de l'opéra classique vietnamien, ou je récite des prières et allume de l'encens pour l'âme de mon père.

Ces prières je les dis chaque soir. Je suis une fille moderne du grand État socialiste mais je ne suis pas communiste. Pas tellement de Vietnamiens sont communistes. Je peux continuer à prier pour les esprits des morts comme ma mère et ma grand-mère me l'ont appris. Je prie pour ma grand-mère, aussi, mais l'autel des ancêtres qui est posé contre le mur près de la fenêtre a un but scrupuleux, qui est de recevoir les prières pour l'âme de mon père, une âme dont j'ai toujours compris qu'elle souffrait atrocement dans la vie d'après et qu'elle avait grand besoin de ces choses que j'offre à mon père.

Et quand je me mets au lit et que c'est la nuit, il y a toujours dans l'air l'odeur de l'encens que j'ai brûlé pour lui. Je suis au lit, parfois je porte un peignoir de soie et parfois je suis nue. Je suis au lit pendant toutes les années où j'ai été une femme dans cette chambre, et je me couche toujours seule jusqu'à cette nuit où Ben me touche pour la première fois. Mais il n'était pas clair pour moi à quel point j'étais seule jusqu'à ce que Ben vienne à moi. Je n'ai pas ressenti à quel point toutes ces nuits sans lui étaient douloureuses avant qu'il soit ici. C'est une chose étrange pour moi. Tandis que Ben m'embrasse, que je sens qu'il est ici avec moi et que personne n'a jamais été ici jusqu'à ce moment-ci, je pense que peut-être mon père m'a toujours protégée de cette douleur. Peut-être que ce que je donnais à l'âme de mon père, la compagnie de mes prières, il me l'a toujours rendu. Voilà à quoi je pense pendant que Ben m'embrasse. Et je peux encore paraître timide, tandis que je pense trop à M. Bao, à Elizabeth Taylor, à mes amies qui viennent avec moi dans les restaurants et remplissent l'air de mots vides, et que je ne me concentre pas sur la sensation des lèvres de Ben sur les miennes. Mais ce n'est pas de la timidité. Il y a à cet instant l'odeur de l'encens dans ma chambre. Ses lèvres sont sur moi et je sens la fumée de l'âme de mon père.

À ma première visite dans cette chambre, elle m'a demandé si je pouvais attendre quelques minutes. Elle a dit qu'elle avait coutume de prier à certains moments de la journée, dès qu'elle rentrait chez elle, et qu'elle avait le sentiment que l'âme dont elle avait la charge le savait. «Il attend», a-t-elle dit.

«Bien sûr», ai-je répondu. Je ne l'ai pas avoué cette fois-là mais j'étais simplement content d'être enfin là avec elle dans son intérieur. Elle pouvait faire ce qu'elle voulait, pourvu qu'elle me laisse traîner autour d'elle.

Il n'y avait pas beaucoup de meubles. Il aurait été

naturel que je m'assoie sur le lit pour attendre, mais je ne l'ai pas fait. Je me suis plutôt assis sur une natte en paille, devant une table basse en laque noire incrustée de grues blanches.

Nous venions de passer la journée ensemble. L'après-midi précédent j'avais attendu devant l'échoppe de nouilles pour l'apercevoir de nouveau, et la voiture de Saigontourist avait fini par arriver. Elle en était sortie, vêtue du même corsage blanc avec un gros nœud autour du cou, et de la jupe droite lui arrivant au genou qu'elle portait la veille. De toute évidence, elle était un genre de guide. Ça faisait longtemps que j'attendais et j'ai été pris au dépourvu. Elle allait traverser le trottoir en coup de vent et disparaître avant même que j'aie eu le temps de me mettre debout. Mais elle m'a aperçu et a hésité. Elle a regardé par-dessus son épaule — pour voir je crois si la voiture était partie, et c'était le cas. Et puis elle est venue vers moi. Je me suis levé.

« Je ne me suis pas approché des chiens, ai-je dit.

— Parfait. Mais vous êtes revenu ici.

— Oui.

— Cet endroit est-il dans les guides maintenant ? Je pensais qu'il n'y avait qu'un Vietnamien pour venir manger ici.

— Oh, c'est très bon. » J'essayais de déchiffrer son ton de voix. Savait-elle que je l'attendais, était-elle flattée et flirtait-elle avec moi ? Mais je ne le discernais pas dans sa voix. On aurait presque dit qu'elle essayait de se faire une idée précise de ce marchand de nouilles.

Et puis elle a demandé : « Est-ce une coïncidence que vous soyez là quand je rentre du travail ? » Elle était toujours de marbre. J'étais très conscient qu'elle était une jeune femme travaillant pour un gouvernement communiste. Mais ses yeux étaient brillants et ils semblaient heureux de rester posés sur moi.

«Ai-je eu l'air surpris de vous voir?»

À ces mots elle a froncé les sourcils, en essayant de se souvenir. «J'aurais dû le remarquer. J'aurais pu le deviner sans avoir à vous le demander.»

J'ai dit : «Je ne crois pas que j'aie eu l'air surpris.»

Elle a hoché la tête sans me quitter des yeux. «Y a-t-il un autre signe que je devrais voir?

— Ça fait trois heures que je suis ici. Mais ça ne peut pas se voir.»

Elle a regardé par-dessus mon épaule la petite table à laquelle j'avais été assis. Il y avait une demi-douzaine de bouteilles vides. Trois bières, trois Coca. J'avais commencé à la bière, mais je ne voulais pas être paf quand je la reverrais. Je voulais avoir les idées claires pour elle.

«Si. Ça se voit peut-être», a-t-elle dit.

Je voulais m'expliquer pour les bières, mais je me suis simplement senti sourire comme un idiot. Il était évident à mes yeux, maintenant, que tout impassible qu'elle fût, elle jouait avec moi, et je voulais que ça continue. Mais je n'ai rien trouvé d'autre qu'un truc sincère. J'ai dit : «Je voulais vous revoir.»

Du coup son regard m'a quitté. Elle a baissé les yeux, son visage a plongé en avant et j'ai pensé que j'avais commis une grosse erreur. Mais elle est revenue vers moi. À peine un instant plus tard elle est revenue. Ses yeux étaient de nouveau fixés sur les miens et elle a dit : «Comment ça? Il y a plein de filles à regarder pour vous à Hô Chi Minh-Ville.»

Je n'avais pas de réponse à cette question. Elle avait raison, bien sûr. Mais ça n'avait jamais été vraiment comme ça dans ma vie, toujours à flasher sur une femme ou une autre, à la seconde, quoique si vous croyiez la plupart des gars que j'ai rencontrés, c'est comme ça que va le monde. Et il y avait bien quelque chose entre cette femme et moi, alors même que nous étions plantés sur le trottoir devant le marchand de nouilles à tourner autour du pot. Il y a eu quelque chose immédiatement, et d'une façon ou d'une autre nos yeux le savaient pendant que nos cerveaux l'ignoraient encore. Finalement j'ai dit :

«Personne d'autre ne s'est préoccupé de me sauver des chiens.»

Elle a esquissé ce gentil demi-sourire de la veille et elle a dit : «C'était mon devoir de citoyenne.

— Avez-vous mis en garde beaucoup d'hommes contre les chiens de Saigon?»

Ça l'a arrêtée. Il m'a semblé qu'elle avait les mêmes difficultés que je venais de rencontrer à trouver une réponse. Au bout d'un moment elle a dit simplement : «Non.

— Et pourquoi donc? ai-je demandé. Il y a beaucoup d'hommes à Saigon qui pourraient être en danger.

— Personne d'autre n'appelle les chiens comme s'ils valaient la peine qu'on les aime.

— Donc nous avions chacun nos raisons.

— Oui.»

J'étais bloqué maintenant. J'ai tournicoté en essayant de penser à quelque chose à proposer. «J'aimerais vous emmener quelque part. Manger des nouilles, peut-être. Je connais un endroit formidable.» J'ai désigné l'échoppe derrière moi.

Elle a eu un rire bref, feutré, mais ensuite son visage est brusquement redevenu sérieux. Elle a dit : «Ce n'est pas si facile.

— Parce que vous ne savez pas mon nom. Je m'appelle Benjamin Cole. Mon diminutif c'est Ben.

— Moi je m'appelle Le Thi Tien. On dit Tien.» Elle a tendu la main et je l'ai prise, elle avait une étreinte énergique et nous nous sommes serré la main, puis nous

nous sommes lâché la main et j'ai pensé que nous étions contents tous les deux de nous être touchés de cette façon nette et forte. Et puis elle a dit : « Mais ça ne résout pas la difficulté. Mon travail chez Saigontourist suppose que je ne devrais pas fraterniser en public avec quelqu'un qui a l'air d'un hôte de notre pays.

— Alors permettez-moi de vous engager. » Ces mots sont sortis de ma bouche avant que j'aie eu le temps d'y réfléchir.

Il a brusquement eu l'air très préoccupé et j'étais convaincue que c'était à cause des paroles qu'il avait prononcées, bien que d'abord je ne les aie pas entendues de la façon qu'il craignait. C'était intéressant. L'instant d'après, quand j'ai pensé qu'il m'aimait bien et puis qu'il m'engageait et puis que j'ai vu finalement la gêne qu'il ressentait, je n'étais toujours pas vexée. Je n'étais pas ma mère. Il n'était pas un G.I. Même s'il était américain. C'était évident. Et maintenant j'avais mes propres préoccupations. Je voulais que ça se passe comme il l'avait d'abord imaginé. Je voulais m'asseoir avec lui dans une échoppe de nouilles, dans ma plus souple robe en soie, la gorge nue et les genoux découverts, je voulais parler avec lui et voir sa douceur s'étendre aux chiens pouilleux qui passaient par là. Cette envie m'a surprise et cela paraissait une chose impossible.

Mais il y avait cette offre. J'ai dit : « Je pourrais vous emmener faire une visite de la ville demain.

— Parfait, a-t-il dit. Oui. »

Et c'est ce que nous avons fait. Avec mon chauffeur M. Thu nous sommes allés à la pagode Giac Lam, la plus ancienne d'Hô Chi Minh-Ville, construite en 1744, et à la maison de la Réunification, qui avait servi de palais au méchant Nguyen Van Thieu et où nos forces révolutionnaires triomphantes déployèrent pour la première fois notre drapeau, puis au marché Ben Thanh, où il est évident que notre pays regorge de biens de consommation, et j'ai parlé comme une personne qui n'a jamais porté de robe en soie de toute sa vie et n'a jamais montré ses genoux, et Ben est resté silencieux presque tout le temps et a fait preuve de beaucoup de respect pour moi et pour notre attitude en public, même quand M. Thu attendait dans la voiture et que nous marchions seuls dans les allées étouffantes et moites du marché, pleines de jaques, de poires alligator, de melons amers, de courges, de poivrons verts, de coffres de riz, de tas de poissons séchés et de cages à canards et à poulets, ou quand nous étions seuls dans un nuage d'encens avec la Dame Bouddha tout près, une douzaine de visages empilés sur sa tête et un millier de mains autour d'elle, chacune avec un œil au creux de la paume, ou quand nous nous tenions sur le balcon où notre drapeau révolutionnaire a flotté pour la première fois et qu'il n'y avait là personne d'autre que nous deux. Même dans ces moments-là, Ben était silencieux et j'ai rempli l'air de mots que je connaissais par cœur mais que soudain je reconnaissais à peine.

Et puis nous nous sommes retrouvés devant le musée des Crimes de guerre. C'est un vieil ensemble français de type colonial sous de beaux tamariniers, M. Thu était une fois encore dans la voiture et Ben et moi nous nous tenions sur le trottoir. Ben n'avait pas parlé depuis longtemps. Il attendait que je le conduise au kiosque à billets qui était devant nous, au-delà s'ouvrait la cour où il y avait les tanks, les véhicules blindés américains et aussi la guillotine française, et à l'intérieur du bâtiment les salles pleines de photos de femmes et d'enfants morts, et déjà ma tête grouillait de mots. Je ne les ai pas écoutés. J'étais incapable de bouger.

Finalement il a dit, très doucement, très près de mon oreille, ai-je pensé, bien que je ne me sois pas tournée pour voir : « Je ne crois pas que ceci fasse le même effet qu'un repas dans une échoppe de nouilles.

— Non, ai-je dit. Je n'ai pas prononcé un seul mot à moi de toute la journée. » Et puis je me suis tournée vers lui. Il s'était éloigné de moi et regardait droit devant, dans la cour. J'ai dit : « Le comprenez-vous ? »

Il m'a regardée. « Si je comprends ?

— Comprenez-vous que tous ces mots n'étaient pas les miens ?

— C'était ce que je voulais dire en parlant des nouilles.

— Mais je ne peux pas non plus être moi-même dans un restaurant. Je me soucierais de ce que pensent les gens autour de nous. »

Ses épaules se sont soulevées puis sont retombées, à peine, très lentement. Il avait soupiré. Je n'avais rien entendu, mais je le savais. Une étrange acuité m'était venue à son égard et, franchement, ce n'était pas agréable. Mais je savais que c'était à cause de ce trottoir public, du nœud autour de mon cou et de l'impossibilité où j'étais de tendre le bras et de lui prendre la main.

Avec le soupir qui s'attardait encore dans sa voix, il a dit : « Qu'allons-nous faire, Tien ? Devrais-je simplement retourner à mon hôtel et ne plus vous embêter ?

— Non », ai-je dit, le mot est sorti rapide et cinglant, et j'ai pensé que j'avais enfin ce jour-là prononcé un mot à moi. Je l'ai répété. « Non. » Et puis j'ai dit : « Je suis contente que nous nous soyons rencontrés. Je vais arranger quelque chose. »

Ensuite j'ai menti à M. Thu en lui disant que Ben songeait à s'installer au Métropole. M. Thu est un jeune homme qui a une femme et un enfant, pas de la génération qui a tant et tant souffert pendant la guerre, et j'ai pensé que de toute façon il comprendrait peut-être. Mais ce jour-là je m'en suis tenue à un mensonge, et il nous a déposés Ben et moi au Métropole, qui est l'hôtel de l'autre côté de la rue juste en face de mon appartement, je lui ai dit que l'Américain se débrouillerait tout seul pour régler son changement de domicile et que j'allais rentrer chez moi, car l'après-midi était déjà très avancé.

M. Thu est parti avec la voiture, et dans l'ombre du Métropole Ben a regardé autour de lui puis de l'autre côté de la rue et a reconnu l'endroit où nous nous trouvions. «Des nouilles, a-t-il dit.

— Du thé, ai-je dit. Vous pouvez venir avec moi et je vous préparerai un très bon thé.

— Et vos voisins, alors?

— Ce n'est pas quelque chose de public», ai-je dit, et si d'une certaine façon c'était vrai, il était également vrai que j'étais enfin prête pour cet homme à accepter une certaine censure.

À ces mots il a hoché la tête avec un doux sourire, il comprenait peut-être, peut-être qu'il lui était venu la même acuité qu'à moi.

Je me suis enfin retrouvé assis sur une natte en paille devant une table en laque dans l'appartement de Tien, et elle a disparu dans sa petite salle de bains. Elle n'avait esquissé aucun geste dans cette direction, mais je savais où elle irait faire ses prières. Sur le mur opposé à l'endroit où j'étais assis, il y avait une petite table. Elle était recouverte d'un tissu blanc, il y avait deux étroits porte-bouquets en cuivre où s'affaissaient des iris bleus, et un plat de fruits, deux mangues, leur peau jaune marquée des taches sombres qui viennent quand elles mûrissent, quelques-unes de ces minuscules bananes incroyablement sucrées, qui brunissaient elles aussi, et au centre de la table un bol en verre rempli de sable contenant une forêt de bâtons d'encens. J'avais déjà vu ce genre de choses. Dans une autre petite chambre quelque part un peu plus bas dans cette ruelle. Avec une femme qui était aussi jeune que moi à l'époque. Et, je l'ai toujours pensé, tout aussi effrayée.

En attendant que Tien réapparaisse, j'ai essayé de voir le visage de Kim en imagination. Ses yeux me sont revenus, grands mais profondément fendus dans son visage comme s'ils avaient été créés à la va-vite. Les yeux de ces gens du Viêt-nam. C'était le truc chez eux qu'on n'arrêtait jamais tout à fait de remarquer. Le truc qui continuait à vous dire qu'ils étaient d'un endroit très différent. Non pas que les yeux de Kim me dérangeaient. Ils étaient beaux, et bien qu'au Viêt-nam j'aie eu une trouille bleue la moitié du temps, je crois aussi que j'étais heureux d'être loin de Wabash, c'était chez moi, une petite ville industrielle de l'Illinois sur les basses terres du Mississippi, en face de St. Louis. Je me réjouissais que Kim soit différente. Mais après tant d'années, c'était tout ce que je pouvais voir d'elle sans difficulté, ce qui ne ressemblait à rien d'autre que je connaisse.

J'ai essayé brièvement de me représenter Kim en un moment précis, et comme j'avais les yeux fixés sur cette table de prière, j'ai pensé à elle chez elle, où elle prenait soin d'une âme. Mais elle était à l'autre bout de la pièce. J'étais sur le lit, elle était loin et il y avait là-bas un autre visage. Une grande photo s'étalait au milieu de la table, un vieil homme avec un petit chapeau de mandarin sans bord. Le grand-père de Kim, je crois.

La porte de la salle de bains s'est ouverte et Tien en est sortie. Elle y était entrée vêtue du chemisier blanc et de la longue jupe de Saigontourist. Maintenant elle était en soie noire, un corsage et un pantalon qui ondoyaient autour d'elle et me donnaient déjà envie de la toucher, me donnaient envie d'oublier ce que, je le savais, je devais être avec elle, attentif et lent, disons. Elle avait défait ses cheveux maintenant. Ils étaient très longs et noirs comme le monde au-delà de la portée de mes phares. Elle a dit : «Rien qu'un petit instant.

— Oui», ai-je répondu, et pourtant je pouvais à peine proférer un son.

Elle s'est avancée vers la table, elle s'est agenouillée, ses pieds nus étaient disposés sous ses fesses, ses orteils en une jolie petite rangée, et ça allait être coton, je le savais. Elle a levé le visage vers la table et je me suis alors rendu compte qu'il manquait quelque chose. Il n'y avait pas de photo. J'en avais suffisamment appris par l'entremise de Kim pour savoir que c'était étrange.

Mais il reste si peu de choses de Kim. Si peu qui vienne à l'esprit facilement. Elle s'accroupissait devant son grand-père, elle priait et la fumée montait de ses mains, emplissait la pièce de l'odeur de quelque chose, du jasmin peut-être. Je ne me souviens pas bien, pourtant pour quelle autre raison connaîtrais-je cette odeur ? J'adore l'odeur des choses. L'odeur des oranges dans la vallée de San Joaquin. Je me souviens de ce moment-là, alors que c'était une époque sans amour, sans une femme près de moi qui bientôt s'approcherait pour me toucher. L'odeur de la terre dans les grandes virées loin de St. Louis, la terre retournée dans l'obscurité, prête à ensemencer. Même l'odeur de l'aciérie. Les gaz de naphte et de coke. J'aimais cette odeur comme mon père l'aimait. Mon mort à moi. Il rentrait à la maison et il sentait la même odeur que l'aciérie, et aussi le savon Lava et l'amidon de sa chemise d'après le travail. Si son esprit est prisonnier quelque part sans les prières de sa famille, selon la croyance des Vietnamiens, elle est là-bas à hanter les Aciers de Wabash, devant le haut-fourneau, ou peut-être dans le champ d'à côté où il me soulevait, me déposait sur ses épaules, et réfléchissait un long moment en silence, là où, de temps à autre, il s'emplissait de l'odeur, sa poitrine se soulevait, du regard il englobait tout, et moi aussi. De cela je me souviens. Du regard il englobait tout et il désignait la mince souche de cheminée se dressant près de la grande route, à son sommet une flamme éclatante et gélatineuse s'agitait et il disait : C'est la soupape de purge. Regarde comme la flamme est belle. Je regardais, et c'était très beau.

Je presse de toutes mes forces sur ces choses qui me restent de Kim. Des choses me viennent et je ne sais pas si ce sont des souvenirs ou des choses que je rêve, que j'invente, venues d'un lieu profond et convaincant. Son odeur. Ses cheveux sentaient cet encens. Elle venait à moi depuis son défunt grand-père, elle était nue et son corps était lisse et dur, elle m'allongeait sur le dos et s'accroupissait sur moi, et quand j'étais en elle elle se penchait en avant, ses cheveux tombaient sur mon visage, je sentais l'odeur de l'encens, comme si j'étais emporté dans sa prière.

Puis son visage a glissé vers le mien, elle m'a embrassé bruyamment, elle a remué sur moi et elle a murmuré : « Tu aimes Kim très beaucoup fort.

— Beaucoup », ai-je murmuré. Nous avions déjà joué à ce petit jeu. Elle avait commis l'erreur le premier soir de notre rencontre au bar, elle y avait réfléchi quand je l'avais corrigée, sans plus, mais nous y avons joué avec une autre conclusion la première fois que nous avons fait l'amour, et chaque fois depuis. Je disais : « J'aime beaucoup Kim.

— Très beaucoup fort, disait-elle. Cent fois. »

Et je devrais me souvenir de cette première fois, parce que Kim était bien la première femme à qui je faisais l'amour. Il y avait une fille dans un camp de caravanes à Wabash, bien plus loin que le haut-fourneau, elle avait des dents de lapin, les yeux qui louchaient et un corps magnifique, nous nous sommes caressés une nuit dans l'obscurité, et l'odeur de l'aciérie était très forte. Elle a dit qu'elle était une fille bien, de ne pas l'oublier, et j'ai répondu que je ne l'oublierais pas, pourtant je l'ai évitée après cette nuit-là. Je ne l'ai jamais pénétrée, bien qu'elle m'ait caressé, qu'elle m'ait demandé de la caresser et que j'aie dit : « Non, désolé. » J'avais entendu parler de l'odeur des femmes par les copains, j'en avais peur et je n'ai plus pu la regarder après cette nuit-là. Son nom s'est évanoui maintenant, mais c'était peut-être bien Jasmine. C'est peut-être la véritable source de l'odeur de l'encens dans ce truc qui me vient comme un souvenir. Et je n'arrive pas à penser à la première fois avec Kim, pas de façon précise. La nuit était très sombre. Il n'y avait pas d'encens. Il ne reste rien de cette nuit-là. Simplement plus tard, quand il y avait de la fumée dans ses cheveux et ses prières pour le mort.

Et même alors, quel était le grand sentiment que j'étais censé ressentir ? Où était cette chose dont on dit qu'elle vous rend si proches, une femme et vous ? Je cherchais obstinément quelque chose d'important dans tout ça et je séchais. Pourtant je ne m'entendais pas avec les autres qui vivaient sur la route. J'arrivais devant les routiers, je garais mon bahut un peu à l'écart et je me trouvais une place dans le restaurant, tout seul, la dernière table au fond vers les douches ou vers les flippers, et je restais là loin de la circulation. Mais parfois quand ils discutaient de tout ça et que ce n'était que baise celle-ci et baise celle-là et va donc dans ce routier dans l'Indiana, elles s'assoient complètement à poil sur la table et c'est-y pas ça la vie, je me demande si au fond ils n'avaient pas raison. Si ça ne se résume pas à rien d'autre.

J'essaie de ne pas penser comme tous ces types avec qui j'ai passé trop d'années à l'aciérie ou sur les routes. Non, je ne veux pas dire tous les types. Simplement les forts en gueule. Il y en avait d'autres dans mon genre, je crois. J'essaie de ne pas me laisser aller à prendre le ton des forts en gueule. J'ai en moi suffisamment de ma mère pour mc donner une autre façon d'envisager les choses. C'est un autre de mes défunts. Son esprit se trouve probablement à la bibliothèque de Wabash avec le buste en cuivre de Andrew Carnegie, de l'autre côté de la grande porte, avec les planchers vastes et éraflés, les ventilateurs qui tournent dans les angles et l'odeur des vieux livres. Elle m'y emmenait, prenait ses livres et lisait la nuit quand mon père était en poste tard le soir, parfois elle pleurait et parfois elle riait, et j'ai pas mal lu mais franchement pas autant qu'elle l'aurait voulu. J'aime toujours l'odeur d'un livre, pourtant. Quand ça m'arrive de trouver quelques vieux bouquins dans une petite boutique genre Armée du Salut, quelque part dans une quelconque petite ville, depuis ces deux dernières années où je ne suis plus sur la route et que je vais simplement au hasard, j'en prends un, je fourre mon nez entre les pages et je le hume.

Je me demande parfois si ma mère et mon père ressentaient quelque chose de fort quand ils se caressaient. Il y avait beaucoup de souffrance dans tout ça, je crois. Ils avaient perdu une petite fille pas mal d'années avant ma naissance et ça a été dur pour eux, j'en suis sûr. Et puis ils m'ont eu sur le tard. Mais je les ai aussi surpris à se caresser l'un l'autre. J'ai un moment en tête, une nuit où je me suis réveillé, c'était à l'époque où mon père travaillait de nuit, je me suis levé et la maison était silencieuse mais il y avait encore de la lumière. Je m'attendais à trouver ma mère en train de lire. Elle n'était pas dans notre petite pièce de séjour et je suis allé à la cuisine où je suis resté silencieux à la porte, mon père était assis sur une chaise de cuisine sans sa chemise. Il venait de rentrer, il était assis les avant-bras sur les cuisses, un peu voûté, et ma mère se tenait debout derrière lui et lui touchait le dos. Pas une friction. Beaucoup plus léger. Du bout des doigts elle lui balayait simplement le dos sans hâte et lui avait la tête penchée, et à un moment, quand la main de ma mère est remontée jusqu'à l'épaule de mon père, il a levé brusquement la main et le bout de leurs doigts s'est rejoint.

Comme ça, peut-être. C'est censé arriver comme ça. Mais je suis incapable de me souvenir d'une caresse comme ça avec Kim. Il y avait un peu de bavardage gentillet. Il y avait ses cheveux qui tombaient sur moi. Il y avait la chose qui m'arrivait quand j'étais en elle, une chose pour laquelle les types dans les routiers ont certains mots. Mais je n'arrive pas tout à fait à l'entendre de cette façon. Je veux dire ce moment où je file en elle, où j'ai l'impression que je roule dans un bon bahut et que j'émerge des collines, après une lente montée, que j'atteins le sommet et que j'ai brusquement l'impression de tomber. Pourtant ce n'est pas véritablement d'un bon moment dont je parle là. La plupart du temps on a l'impression de faire corps avec le camion. Mais dans cette course soudaine, on a l'impression de s'être détaché de ce truc qui vous emporte. On n'a rien à voir avec, parfois ça fait un peu peur et parfois ça donne simplement l'impression d'être arrivé en avion ailleurs sans vraiment savoir où.

Cet ailleurs-là n'était pas avec Kim, pourtant. Je suis rentré chez moi après la guerre, en février 1967, et pendant plusieurs mois avant mon retour je ne l'ai même pas vue. Je suis rentré chez moi, ça voulait dire Wabash, et j'ai retrouvé ma chambre dans la petite maison de brique de Hagemeyer Avenue où j'avais toujours des vignettes de baseball, mes brodequins de sécurité et dans un placard quelques chemises qui étaient de la couleur du deux tonnes et demie que je venais de conduire pendant un an et qui sentaient toujours l'aciérie. C'est là que je suis allé, pendant trois mois j'ai dormi jusqu'à midi tous les jours, et je suis sorti jusqu'à ce que je trouve Mattie, du lycée de Wabash, que j'avais toujours aimé regarder, elle se souvenait de moi, elle était serveuse au Woolworth et elle ne m'a pas posé une seule question à cette époque-là, nous nous sommes mariés et me voilà couché dans une autre pièce de cette même rue, avec elle, elle était grande, et malgré sa maigreur il semblait y avoir tellement d'elle quand elle était nue, elle semblait douce au toucher, elle avait de gros sourcils et des cheveux qu'elle maintenait roulés serré dans un filet en dentelle quand elle travaillait, mais elle les lâchait pour moi, longs et raides. Cela aurait dû être ce dont j'avais besoin. Cela aurait dû être ce que j'attendais depuis le début, et j'aurais dû retourner à l'aciérie comme mon père voulait que je le fasse maintenant que j'étais rentré d'une guerre, mais ça ne s'est jamais vraiment passé comme ça.

Il n'y avait rien qui ressemble de près ou de loin au moment où Tien s'est relevée de ses prières, quand elle m'a emmené dans sa chambre et qu'elle n'était pas prête à ce que nous nous touchions. Il n'y aurait pas de caresses, je le savais, et pourtant je n'avais jamais vécu un moment pareil, quand j'étais assis sur sa natte en paille et qu'elle s'est tournée vers moi, j'avais du mal à reprendre ma respiration à cause de ses cheveux lâchés à mon intention comme ils l'étaient cette première fois. J'étais assis sur la natte en paille et elle s'est tournée vers moi, derrière elle la fumée montait de l'encens qu'elle avait allumé, sombre, sans flamme, ses cheveux tombaient sur ses épaules, elle m'a souri et j'ai dit : «Pourquoi n'y a-t-il pas de photo?»

Ça m'a étonnée qu'il sache pour les ancêtres. Il m'a demandé pourquoi je n'avais pas de photo sur mon autel et je crois qu'alors j'ai agi de façon bizarre. Je savais depuis des années que quelqu'un, un jour, me poserait des questions. Pendant de trop longues années j'ai attendu les questions avec la peur au cœur, mais personne n'a rien demandé. J'étais l'orpheline qui vivait avec sa grand-mère, je savais tout ce que je devais raconter à l'école, ma grand-mère savait ce qu'elle devait dire, et on ne pouvait rien ajouter d'autre en regardant mon visage.

Je lui ai annoncé : «Je vais préparer le thé maintenant.»

C'est un homme bon. Un homme attentif. Il a dit : «Très bonne idée.»

Je me suis mise à la tâche que mes mains connaissent si bien. Mais il y avait tant de choses dans ma tête. Mes souvenirs. Tels qu'ils ont toujours été, certains sont nets. D'autres non. Ma mère est nette, d'une certaine façon. Je pensais à elle en préparant le thé. Je me couchais auprès d'elle parfois, nous dormions et je ne me souviens pas de la première fois où j'ai posé la question. Peut-être que je n'ai jamais rien demandé sur mon père. Peut-être que c'était une chose qu'elle m'a racontée avant que j'aie même eu l'occasion de m'en rendre compte. Mon père était soldat et il était mort à la guerre. C'était tout ce que j'avais à savoir. Elle se mettait très vite à pleurer à ce sujet, il y avait beaucoup de larmes et je n'ai pas essayé d'en savoir plus. Mais une fois je lui ai demandé pourquoi il n'y avait que le portrait de grand-père sur son autel des ancêtres, et elle a répondu qu'il n'y avait pas de photos de mon père. Je ne lui ai pas demandé pourquoi. Elle n'avait pas encore commencé à pleurer et je me suis arrêtée avant qu'elle commence.

Et puis il y a eu une nuit, et c'était presque à la fin. Les libérateurs — mais je ne pensais pas à eux en ces termes à l'époque, j'étais une enfant et ma mère était hôtesse de bar — les libérateurs étaient tout près et beaucoup de roquettes tombaient sur la ville. Il n'y avait donc pas d'hommes qui venaient dans son lit et j'étais à côté d'elle. Je ne sentais qu'elle cette nuit-là, pas du tout la mer. Elle sentait bon et je le lui ai dit, elle a répondu que c'était un savon qui venait d'Amérique. Il était pur à 99,44 pour cent, a-t-elle ajouté, comme moi, sa gentille fille. Je me suis rapprochée un peu plus, tout contre elle, et son bras est venu m'enlacer. Je me suis demandé un moment ce que c'était en moi qui n'était pas pur à cent pour cent et j'ai songé à le lui demander. Mais avant que je le fasse, elle a dit que je pouvais rester une bonne petite fille même sans papa.

Il était dans ses pensées cette nuit-là. Elle voulait parler de lui, j'ai attendu et j'étais contente, je pense, d'entendre ce qu'elle pourrait bien me raconter. Mon amie qui m'avait appris l'histoire du dragon et de la princesse, et dont la mère travaillait aussi dans des bars, était très fière d'être la fille d'un colonel vietnamien. Il n'avait pas épousé sa mère et maintenant il était parti au loin, mais un jour il avait emmené mon amie à la plage à Vung Tau. Comme tout ce que je savais vraiment c'était que mon père était mort, mon amie racontait des choses qui ne me plaisaient pas. Elle disait que mon père était probablement un des hommes qui fréquentaient le bar. Elle me palpait le visage, le tournait d'un côté puis de l'autre et disait que c'était peut-être bien un Américain.

J'avais déjà entendu raconter quelques trucs sur la façon dont sont faits les bébés, surtout par Diep, mais je n'avais pas vraiment saisi et je n'étais pas très sûre de la raison pour laquelle elle cherchait ça sur mon visage, alors j'ai repoussé sa main d'une claque et je suis rentrée à la maison, et ce soir-là je voulais demander à ma mère si mon père était un Américain du bar. Mais en fait j'étais avec ma grand-mère et c'est à elle que j'ai demandé. Je lui ai raconté que Diep m'avait regardée et avait dit ça. Alors ma grand-mère a posé la main sur mon épaule et m'a emmenée devant la glace, là son visage flottait au-dessus du mien. Voilà Tien, a-t-elle dit. Puis elle s'est doucement écartée de moi et il n'est plus resté que mon visage dans la glace. Y vois-tu qui que ce soit d'autre ? a-t-elle demandé.

J'ai essayé. Je n'avais toujours pas la réponse, s'il était vietnamien ou américain, et je ne savais toujours pas pourquoi ça se verrait sur mon visage, mais j'ai regardé et je n'ai vu que ce que j'avais toujours vu. Non, ai-je dit. Je suis restée plantée là à me regarder, ma grand-mère était tout près. Je l'ai sentie là pendant quelques instants et puis elle n'y était plus, j'ai regardé mon visage qui me regardait et j'ai découvert que je n'avais pas d'autres questions.

Mais cette nuit d'avril 1975, quand ma mère avait déjà secrètement décidé de me quitter pour toujours — pour que je puisse vivre une existence meilleure dans le nouveau Viêt-nam — je le comprends — et elle, pour pouvoir vivre tout court, croyant comme elle le croyait à toutes les calomnies sur ce que le nouveau gouvernement ferait subir à une prostituée pour les Américains — je comprends tout ça — cette nuit-là, il a fallu qu'elle en dise davantage sur mon père. Je crois que ma grand-mère l'y avait poussée. Ma grand-mère devait connaître ses projets à ce moment-là, et si elle m'avait appris que je suis moi-même et que je suis seule, elle voulait aussi que j'apprenne la vérité de la bouche de ma mère. Quelles paroles dures ont dû être échangées que je n'ai jamais entendues.

Ma chérie, m'a dit ma mère, ton père est mort. Ne l'oublie pas.

Je suis sûre que c'est ce qu'elle a dit. Chaque fois que je me suis rappelé ce moment depuis que je suis adulte, elle me paraît un peu folle. Elle l'était, j'imagine. D'une façon qu'une enfant de huit ans ne peut pas voir.

Je sais qu'il est mort, lui ai-je dit, et elle a dû entendre les larmes dans ma voix parce qu'elle s'est assise et s'est tournée pour me voir, une lampe continuait à brûler tout près, je distinguais son visage et de toutes mes forces j'y ai cherché quelque chose de moi. Je me souvenais de mon visage dans la glace de ma grand-mère et je voulais voir s'il y avait quelque chose d'évident de ma mère en moi. Je n'étais pas sûre. Maintenant elle était brouillée par mes larmes, et ce que je voyais surtout dans son visage c'était la crispation d'un sentiment que je n'avais encore jamais vu sur le visage de personne.

Ton père, a-t-elle dit, et sa voix qui tremblait allait se briser bientôt, mais alors il y a eu un grand craquement dans l'air, la pièce a tremblé, la lampe s'est éteinte et nous nous sommes tournées vers la fenêtre, ma mère et moi, le ciel nocturne était rouge, et puis ma mère s'est de nouveau tournée vers moi et je ne distinguais plus son visage nettement. Mais sa voix a changé. Elle était très calme.

Elle a dit : Ton père venait de loin.

Comme le dragon qui régnait sur tous les océans, ai-je dit.

Elle aussi connaissait cette histoire. Tous les Vietnamiens connaissent cette histoire. Elle a hésité et puis sa main s'est avancée et elle a pris mon menton dans sa paume. Je voulais que ce soit vrai exactement comme je l'avais toujours entendu raconter. Mais elle a attendu, attendu et puis elle a dit : Ce n'est pas pareil. Sa main est retombée et elle a de nouveau regardé le ciel rouge. Au loin on entendait un sombre jacassement. Une fusillade.

Et puis elle a dit : Ce dragon-ci ne vivait pas au royaume des eaux. Il vivait avec son père et sa mère dans un endroit lointain où il n'y avait que des dragons. Et son père allait chaque jour dans un trou ardent qui était la richesse et le travail de son royaume. Le feu. Il descendait dans le feu, il y avait là d'autres dragons et certains d'entre eux étaient ses ennemis. C'étaient des tueurs. Le père de ton père a livré un jour un terrible combat tout au fond de cet endroit ardent et il y a tué son ennemi. Il ne le savait pas mais il a combattu son ennemi et l'a tué pour l'amour d'une belle petite fille, une princesse des fées à l'autre bout du monde, car s'il avait perdu cette bataille et s'il était mort, son propre fils ne serait jamais né et cette enfant ne serait jamais née non plus. Mais il a tué la semence d'un autre dragon et la sienne n'est pas morte, donc ton père est né et puis il est passé de l'enfance à l'âge adulte. Sa mère était douce et avait peur pour lui mais quand il a été assez grand, lui aussi est allé dans le feu. Et puis un jour son père lui a dit qu'il y avait des endroits de feu au loin, de nouveaux ennemis, et qu'il devait partir là-bas les combattre. C'est ce qu'il a fait. Et il m'a rencontrée, m'a aimée et a planté un enfant en moi avec sa semence, un bel enfant, mais avant sa naissance il est mort dans les flammes.

Le rouge du ciel était maintenant éclatant. Ma mère avait précipité la fin de l'histoire et j'étais un peu en colère contre elle. Je voulais qu'elle reprenne son récit. Qu'elle raconte plus lentement. Elle accélérait aux endroits que je voulais le plus entendre, mais maintenant elle pleurait et j'avais déjà largement de quoi réfléchir, alors quand elle s'est penchée vers moi et m'a embrassée et puis s'est allongée, je l'ai laissée me serrer contre elle et je n'ai rien dit d'autre.

Je n'ai jamais plus eu l'occasion de lui reparler de cette histoire. Quelques nuits plus tard les bruits de roquettes et de coups de feu ne s'arrêtaient plus, des gens couraient dans les rues et tout le monde savait que la fin était proche. Ou le début, comme je l'apprendrais plus tard. Mais ma mère ne savait rien de l'avenir. Elle n'avait en tête que sa culpabilité et la crainte que tout ce qu'elle avait fait soit découvert et la détruise, et moi avec. Alors une nuit, dont je sais maintenant que c'était le 29 avril 1975, elle m'a fait venir de chez ma grand-mère et quand je suis entrée chez nous elle avait préparé ses bagages et elle était assise près de la porte. Mon souvenir n'est pas très clair. Elle portait des pantalons noirs, une terne chemise verte de paysanne, et un chapeau conique en osier tressé était posé sur sa valise. Je devais savoir ce qui allait se passer. J'avais les bras et les jambes engourdis, comme si je venais de me réveiller d'un profond sommeil. Elle m'a parlé et je n'ai pas entendu grand-chose. Je suis sûre qu'elle m'a dit combien elle m'aimait. Je suis sûre qu'elle m'a dit combien elle était triste d'agir ainsi. Mais je ne me souviens de rien nettement jusqu'à ce qu'elle m'ait prise par les épaules et se soit accroupie pour amener son visage tout près du mien. Elle ne sentait pas le savon américain qui était si pur. Elle ne sentait rien du tout. Il y avait de la sueur sur son front. Elle me regardait, les yeux pleins de larmes, mais sa bouche était dure.

Tu dois comprendre ceci, a-t-elle dit. Tu ne dois plus jamais parler de moi. Je suis morte. Tu es orpheline. Les gens qui entrent dans notre pays maintenant sont des gens impitoyables. Ils me tueraient à cause de ce que j'ai fait. Ils te rendraient la vie très difficile s'ils savaient de qui tu es la fille. Ils t'emmèneraient et te feraient du mal. Tu comprends ?

J'entendais les mots maintenant, très nettement. Mais je ne comprenais pas. Pourtant j'ai répondu oui à ma mère. Je savais que le monde était en train de changer d'une épouvantable façon. J'en savais déjà bien assez pour le moment. Elle a hoché la tête et a tourné son regard vers la fenêtre et puis ses yeux sont revenus se poser sur moi, une lutte se déroulait en elle.

Elle a dit : Il y a encore une chose que tu dois savoir, mais le sachant tu ne dois plus jamais en parler à personne. Me comprends-tu ? C'est le plus grand des secrets. J'avais songé à te le dire mais j'avais peur. Pourquoi devrais-tu porter ce secret ? Mais ta grand-mère pense que c'est bien. Et puisque tu vas vivre avec elle maintenant et non plus avec moi, je dois lui obéir. Garderas-tu ce secret pour toujours ?

Oui, ai-je dit. Oui.

Alors elle m'a dit ça : Ton père est mort. Il est mort.

Je sais, ai-je dit.

En plus, a-t-elle dit, il était américain.

Je n'ai pas bien saisi pendant un moment. C'était une mer trop lointaine et trop profonde pour y penser. Et pas du tout une mer, avait-elle dit. Un royaume de feu.

La vapeur brûlante montait vers mon visage. L'eau bouillait. J'ai ôté la casserole de la plaque chauffante et j'ai attendu que toutes ces choses s'effacent. Ben était dans l'autre pièce, je lui préparais du thé et il était le seul homme que j'aie envie de comprendre.

J'ai emporté le plateau du thé, je me suis plantée devant Ben et il a levé les yeux vers moi ; il était assis les jambes croisées sur la natte et ses yeux étaient sombres, comme du bois transformé en charbon par un grand feu. Il savait qu'il devrait y avoir une photo sur mon autel, et dans ses yeux il y avait des questions à mon sujet.

J'ai posé doucement le plateau sur la table et recouvert les grues blanches. Je me suis accroupie, j'ai versé le thé et j'ai essayé de ne pas faire un seul bruit en laissant le thé s'échapper doucement du bec, dans une tasse puis une autre, les yeux de Ben posés sur moi. Je l'ai regardé une fois et c'est tout, même pas un autre coup d'œil, et puis j'ai ramené la théière vers le plateau très lentement, où je l'ai laissée prendre sa place dans un silence total. J'entendais Ben respirer. C'était très ténu, mais j'en étais déjà consciente à ce moment-là. C'était comme s'il me caressait. Simplement entendre sa respiration était une chose intime, une caresse comme je n'en avais jamais connue.

L'autel est pour mon père, ai-je dit. Il est mort à la guerre et il n'y a pas de photos. Ma mère aussi est morte.

Je n'ai rien dit de plus. La respiration de Ben est sortie en un long et doux soupir, et c'était un profond baiser de compassion pour moi. Je suis désolé, a-t-il dit.

Je n'ai pas répondu. Le thé était servi. J'ai gardé les yeux baissés et je n'ai pas révélé mon secret.

Nos lèvres se touchent. La main de Tien est passée derrière ma tête, elle m'attire à elle et nous nous embrassons. Ce geste de désir, la pression de sa main sur moi pour nous amener à ce contact ; alors que j'aurai bientôt quarante-huit ans, il n'y a pas eu un seul moment dans ma vie où je me sois senti désiré de cette façon. Et avant que je rencontre Tien, mon propre désir était une chose loqueteuse, un lambeau de pneu rechapé au bord de l'autoroute que faisait voler de temps à autre le passage d'un camion.

Ma première nuit de ce retour au Viêt-nam, je suis

sorti sans me presser de l'hôtel, je suis descendu vers le centre de la ville, une fontaine ronde où Le Loi et Nguyen Hue se croisent, et je suis resté là debout dans la fine brume d'eau, j'étais face à l'Hôtel de Ville tarabiscoté, à sa façade pleine de colonnes et de flèches éclairée par des projecteurs, et face à la statue en bronze d'Hô Chi Minh, devant sur la place, assis sur une souche d'arbre, le bras passé autour de la taille d'une fillette. Derrière moi coulait le fleuve, et tout autour de moi les rues étaient pleines de Vietnamiens sur leurs motos qui tournaient sans cesse à toute allure.

Une moto a viré une deuxième fois, une troisième fois, et même probablement davantage jusqu'à ce qu'un faible *hé! là* s'échappe du vrombissement des moteurs et finalement attire mon attention, alors j'ai vu les deux visages tournés vers moi. Il y avait un jeune homme à moustache qui conduisait, et assise derrière lui, les bras passés autour de sa taille, une femme en jupe courte. Au deuxième tour leurs visages étaient de nouveau tournés vers moi, il a souri et il a eu deux rapides mouvements de menton, elle était jeune, à l'entrevoir elle était jolie et une fine brume d'envie me picotait la nuque à cause de ses bras autour de l'homme, même si je savais ce qui se passait et que je pouvais m'acheter ce privilège. La troisième fois elle m'a envoyé un baiser, ses cheveux noirs comme la nuit étaient roulés derrière sa tête, elle avait un cou long et mince, ses épaules étaient nues et elle était belle. Mais elle et son maquereau n'ont pas eu le temps de faire un autre tour avant que la brume ne redevienne simplement les gouttelettes de la fontaine, que j'ai essuyées et je me suis détourné, et bien que ce fût ma première nuit au Viêt-nam, que la seule femme que j'aie jamais cru aimer ait été une Vietnamienne, bien que ce visage qui tournait maintenant dans mon dos et se demandait pourquoi j'avais arrêté de la regarder

49

fût un beau visage, rien d'autre ne courait dans mes membres que la lourdeur de la nuit et la lassitude d'une douzaine de fuseaux horaires.

Je suis retourné à mon hôtel, juste à côté de ce qui était autrefois la rue Tu Do, et je suis resté à la fenêtre un petit moment. Je ne tirerais pas la fille du flot de la circulation, mais j'ai observé la petite partie de Tu Do entre les bâtiments en dessous, les motos y filaient sans relâche, comme du sang, et j'ai levé les yeux vers l'endroit où se trouvait le fleuve, visible dans l'après-midi mais invisible à présent dans l'obscurité. Il n'y avait qu'un grand néon rouge HEINEKEN sur ce que je savais être la rive opposée.

Et j'ai pensé : Quel genre d'homme suis-je ? J'avais fait un long voyage et j'étais fatigué, mais je n'avais pas touché une femme depuis presque deux ans et la femme là-dehors était belle, et bien que j'aurais dû la payer, c'était bien ainsi que tout avait commencé avec Kim. Non pas que je cherchais de nouveau l'amour de cette façon. C'était parce que j'étais un homme. J'ai vécu le plus clair de ma vie parmi des hommes, à l'aciérie, dans l'armée, sur la route avec les gros bahuts, et aucun homme que j'ai connu ne comprendrait qu'il me serait impossible d'être avec cette femme qui se trouvait là-bas dans le noir, prête à venir jusqu'à moi. Que je ne pouvais pas lui payer ce qu'elle voulait et l'emmener dans cette chambre, m'étendre avec sa nudité, sa douceur et son humidité, et trouver ça très bon. Je ne le comprenais pas tout à fait moi-même.

Je me suis détourné de la fenêtre, la pièce était sombre mais je ne voulais pas de lumière. Je me suis allongé sur le lit, le ventilateur à pales remuait au-dessus de moi. J'étais sur les couvertures, tout habillé, comme si je voulais réfléchir, comme si je voulais être étendu là et n'avoir rien du tout en tête. Mais ce n'était pas le cas. Et puis Mattie s'est allongée à côté de moi.

J'ai fermé les yeux, le ventilateur caquetait doucement au-dessus de ma tête et il a fallu pas mal d'années avant que Mattie et moi puissions imaginer que ce n'était pas ainsi que la vie était censée être. Dans le noir, pourtant, la première nuit de mon retour à Saigon, elle s'est simplement étendue à côté de moi, et c'était elle quelque part vers le milieu flou de notre mariage, quand il n'y avait plus de Sud-Viêt-nam, quand tous ceux qui n'y étaient jamais allés essayaient de prétendre que rien de tout cela n'avait jamais eu lieu, quand là-bas, pour moi, les trucs dont on s'attendait à ce qu'ils soient les plus pénibles avaient en fait fini d'être toute une affaire — les morts et le féroce affolement de la peur quand il y avait tout un tas de sons affreux autour de vous et que vous pouviez regarder par toutes les vitres de votre camion sans rien voir d'autre que les rizières, des arbres déchiquetés et une route disparaissant dans la fumée, il n'y avait pas d'endroit où se sauver et l'affolement en vous commençait avec tant de violence que vous pensiez que vous ne seriez jamais capable de respirer de nouveau, que c'était ainsi que vous alliez mourir, sans une trace sur le corps, simplement mort effondré de peur, et vous aviez un goût de sang dans la bouche mais il n'y avait pas de sang, pas encore. Pourtant ces trucs pénibles avaient presque disparu vers le milieu de mon mariage avec Mattie. C'était comme de se remettre de la mort de son père et puis de se remettre de la mort de sa mère. On pense que ça ne finira jamais mais un jour on se rend compte que c'est à peu près fini. Les trucs pénibles avaient disparu, et le mariage aussi. La passion de ma peur avait disparu. Et ce qui pouvait bien passer pour de la passion entre elle et moi avait disparu aussi.

J'ai ouvert les yeux et Mattie s'était évanouie, les

pales du ventilateur découpaient l'air au-dessus de mon corps, doucement, doucement, sans relâche, et je voulais penser que le sexe n'avait rien à voir avec ce qui m'avait amené jusqu'à ce lit, dans ce pays où autrefois j'avais désespérément compté les jours qui me séparaient du moment où je pourrais partir et ne plus jamais regarder en arrière. Mais il y avait une plénitude en moi — quelque chose de pas encore libéré, le signe que j'étais prêt à l'acte sexuel — et elle semblait reliée à quelque chose d'important, je savais comment ça devait être : on pénètre une femme et on libère le truc en soi qui brusquement paraît si important, elle libère vers vous quelque chose qui est en elle, et de tout ça une chose nouvelle est censée se produire, une chose unique entre vous deux, vos deux êtres, un truc qui est entier. C'était l'autre solution face à la vision du sexe façon routiers. Et c'était quelque chose que je voulais, quelque chose que j'avais ressenti quand j'avais surpris ma mère caressant le dos de mon père dans la cuisine.

Mais cette première nuit de ce retour au Viêt-nam, j'étais étendu sur le lit et je savais que ça n'avait jamais été comme ça pour moi, ni avec Kim ni avec Mattie ni avec quelques autres, et que ça ne serait jamais comme ça avec la femme là-bas à l'arrière de la moto. Mais je savais aussi que j'étais au Viêt-nam à cause d'un désir exactement comme celui que l'on peut avoir à propos du sexe, le désir que les choses soient entières. Et je sais maintenant comment ce désir est resté coincé ici, comment il n'a pas réussi à monter dans l'avion qui me ramenait chez moi en 1967.

C'était quelque part le long de la Route nationale 1 du Viêt-nam. Je suis venu à la guerre, je conduisais des camions et ça se passerait bien, je conduisais dans le secteur de Saigon, depuis Newport, où le matériel arrivait par bateau, jusqu'aux points de dispersion tout autour du secteur, et ça se passerait bien pour moi, je pensais que le plus gros danger que je courais c'était d'écraser quelqu'un dans ces foutues rues de Saigon, où c'était carrément le chaos, me semblait-il, où ça grouillait de monde et rien d'autre. Mais en 1966 il y a eu une grosse arrivée de matos dans le pays, des tas de nouvelles unités, et je me suis retrouvé au volant d'un deux tonnes et demie dans un convoi remontant la Nationale 1 en direction de Phan Thiet. Il faisait chaud et la cabine du camion était imprégnée de l'odeur du diesel parce que je n'étais qu'à deux véhicules de nos blindés de tête, qui avaient les moteurs les plus dégueulasses du monde, agitant d'épaisses queues de fumée. Je ne voyais pas bien ce qu'il y avait sur les côtés, une plantation de caoutchouc sur un bord, je me souviens, les troncs minces entaillés et saignant du latex, et puis des rizières et au loin un rideau d'arbres, et puis de la terre rouge, des fours à briques le long du chemin.

La Nationale 1 était une longue route, je voulais m'en imprégner et peut-être qu'un peu de moi l'a fait, mais il fallait surtout que je garde les yeux fixés sur le camion de devant et la traînée de fumée, il y avait toujours l'odeur du diesel, une odeur que je mettrais des années à associer enfin à d'autres choses, à l'odeur des oranges et des nuits sur la côte californienne, quand rien ne sortirait des arbres pour essayer de me tuer. Et quelque part le long du chemin le jour s'est déchiré bruyamment, comme si l'air était en fer-blanc et se fendait avec un bruit métallique, nous nous sommes arrêtés net et il y a eu un rugissement de sons minuscules se rassemblant dans le désordre, et puis un tintement dur sur mon capot, et j'étais assis là pétrifié, et puis le camion de devant a filé à l'oblique, il y a eu un flamboiement à l'avant et j'ai vu un blindé se précipiter vers la droite, dans les broussailles sur le côté de la route. Je savais que je devais me glisser sous le volant, j'ai pesé sur mes épaules pour me faire pivoter, un petit nuage blanc a volé juste au-dessus de mon capot et je poussais fort sur mon corps en me concentrant quelque part autour de mes épaules, en essayant de descendre, descendre dans un endroit où je ne pourrais pas voir le verre autour de moi qui reflétait un aveuglant éclat de soleil, le soleil qui était là-dehors quelque part à regarder tout ça, et le verre reflétait aussi une image floue de mon visage, je voyais mes yeux me regardant en train de descendre vers le siège, de tomber mais vraiment pas vite du tout, et je n'arrivais pas à comprendre pourquoi j'étais soudain si lent. Il y a eu un autre tintement et une gerbe de bruit, du verre, j'étais en bas sur le siège et j'ai pensé que j'y étais de mon propre gré, pas touché, mon corps était glacé mais il n'y avait de douleur nulle part et il n'y en aurait pas, j'allais bien, et puis les blindés ont entamé leur minute de folie — l'immense cri vaste comme le ciel des canons et des mitrailleuses — et je savais que le rideau d'arbres, où se trouvaient les autres, allait à présent se déchiqueter et se dissoudre, et ma tête résonnait de ce bruit.

Et je n'ai vu qu'un seul mort.

Non. Pas un mort. C'est bizarre que je me souvienne de lui comme d'un mort, bien qu'il soit probablement mort plus tard. Mais il était vivant quand je l'ai vu, vivant et debout sur le bord de la route à côté de son camion. Le combat était terminé. Brusquement je distinguais la petite pulsation superficielle de ma propre respiration, rapide à présent, si rapide que ma vision s'obscurcissait. Je me suis hissé vers le haut, j'étais assis les mains agrippées à mon volant et j'essayais de ralentir le rythme au-dedans de moi. Des fêlures semblables à une échappée de soleil marquaient la vitre face à moi et ma respiration s'est ralentie et stabilisée, et puis a commencé un rythme lent, comme de grandes ailes battant dans ma poitrine, et au-dehors, découpé par les fêlures, il y avait un deux tonnes et demie en travers de la route, la cabine était tordue et fumante, et le battement en moi m'a donné l'impression qu'il allait me soulever, et une fois de plus j'ai dû m'occuper de cette histoire de respiration, je voulais ouvrir la porte et peut-être sortir mais je n'en avais pas la force à l'instant même, alors j'ai passé la tête par la vitre ouverte de la portière et il était dehors dans les broussailles au bord de la route, à quelques mètres de son camion. Il n'y avait là rien d'horrible pour moi. Pas comme on pourrait s'y attendre. Quand j'ai rêvé de lui, les quelques fois où ça m'est arrivé depuis 1966, c'était avec une tristesse qui n'avait rien à voir avec son corps, ni même avec lui. C'était un jeune type, de mon âge au moment où je le regardais, une vingtaine d'années, un genre de blond que je n'avais encore jamais vu, bien qu'à mon avis il conduisait ce deux tonnes et demie devant moi. Il se tenait là bien droit dans les broussailles, en pantalon de treillis et T-shirt vert, et son bras droit avait disparu. Simplement arraché en quelque sorte, le type regardait l'endroit où ce bras s'était trouvé quelques minutes auparavant et sur son front se formait un nœud. Il ne proférait pas un son, il était là debout au bord de la route comme si tout allait bien mais qu'il venait brusquement de se rendre compte, avec une sorte de perplexité grave, qu'il n'était pas là au complet. Voilà ce qu'était mon rêve, les quelques fois où j'ai rêvé de lui. Il se regarde avec cette expression indécise et je baisse les yeux sur mon propre corps, je trouve un bras et puis l'autre, j'ai mes deux jambes, et j'ai beau penser que je suis certain d'avoir toutes les parties de mon corps, je sais que je ne suis pas complet.

J'essaie de ne pas penser à mon père en cet instant où les lèvres de Ben touchent les miennes pour la première fois. Pourtant l'odeur de l'encens sur l'autel de mon père m'est très présente et j'essaie de retenir cette odeur loin de moi, mais c'est très difficile. J'ai allumé les extrémités minces de l'encens un millier de fois pour lui, plus, cinq mille fois peut-être — chaque soir depuis que j'ai dix ans — et ce n'est pas facile de prétendre que cette odeur n'est pas là, que cette âme n'est pas là, mais je ne veux ressentir que le contact des lèvres de Ben. Des petites griffes de panique s'enfoncent profondément en moi entre mes seins, là où sa main s'est posée il y a quelques instants. Je pense : Je suis en train de rater mon premier baiser avec Ben. Je me concentre sur le contact doux de sa bouche. Je presse ma bouche plus fort contre lui, ses lèvres ouvrent les miennes légèrement, il caresse l'intérieur de ma lèvre avec sa langue et j'oublie maintenant, j'oublie le passé, je touche Ben et je n'attends pas ce qui viendra ensuite. Je sens brusquement sa main sur mon ventre nu, puis elle se glisse dans mon pantalon, je lui cède aussi facilement que la soie et sa main va dans cet endroit-là entre mes jambes.

Il y a beaucoup de choses que je ne comprends pas très bien à propos de mon corps. Je connais les façons de comprendre d'avant la révolution : le corps d'une femme était donné à un homme par les parents de cette femme, et c'était pour qu'elle lui fasse des enfants. Je connais les pratiques de ma mère : le corps d'une femme était une chose de si peu de valeur pour elle qu'il pouvait être vendu à n'importe quel homme. Mais les pratiques de nos dirigeants d'aujourd'hui ne sont pas très claires. Nous devons être modestes avec nos corps parce qu'ils doivent être dévolus au service de l'État. Dans le but de faire des enfants pour notre pays, je crois. Quelque chose de ce genre. On en a parlé au début quand le pays a finalement été réuni. C'était pendant ces premières années où, la nuit, les rues de Saigon étaient épaisses d'obscurité à part quelques lambeaux de feu dans un caniveau, une lampe à kérosène brûlant au fond d'une ruelle. Et il régnait un silence tellement effrayant. Je voudrais parfois, à cette époque-ci de notre pays, que les motos s'arrêtent dehors dans les rues, mais elles valent mieux que le silence. Maintenant je peux me réveiller à trois ou quatre heures, au petit matin, et tout est silencieux, mais silencieux d'un bruit qui était là il y a quelques heures à peine et qui reviendra bientôt, tout est silencieux, mais pas comme ces années où le soleil se couchait et où il n'y avait pas de lumière électrique, il y avait l'odeur du feu de bois et d'un peu de kérosène, il n'y avait pas d'essence, il n'y avait que le faible cliquètement des chaînes de bicyclettes et nous ne nous parlions qu'en chuchotant. Dans ces années-là je crois que le corps d'une femme était destiné à faire des enfants pour notre grand État socialiste, mais à présent je ne sais pas. Les lumières sont revenues et les bruits, mais je ne sais pas où sont nos corps.

Quand j'ai rencontré Ben, avant qu'il me touche pour la première fois, un soir je me suis accroupie dans ma salle de bains, j'ai passé une éponge sur mon corps nu et je me suis mise à trembler. Ça devait être à cause de lui. Il avait été dans l'autre pièce ce jour-là, je lui avais servi du thé et maintenant il était parti, mais quelque chose de lui subsistait, comme une vague odeur de fumée, j'étais nue et cette partie-là qu'il toucherait bientôt me donnait l'impression de s'être mise à bouder, comme un enfant, bouder d'avoir été privée de quelque chose qu'elle voulait absolument faire. Je me suis levée, j'étais encore mouillée de mon bain et j'étais nue. Je me suis avancée vers le petit miroir, je ne voyais que mon visage, ma gorge et juste un petit bout de mon torse, pas du tout mes seins. J'étais encore modeste, dans ce grand État socialiste, modeste même vis-à-vis de moi-même dans ma propre salle de bains.

Le miroir pendait à un clou au bout d'une ficelle, je l'ai touché du bout des doigts juste en bas et il a bougé, mon visage a disparu et ma respiration s'est bloquée quand j'ai vu mes mamelons comme ça, devant moi, séparés de moi, et c'était à cause de lui. J'ai penché un peu plus le miroir, j'ai vu la petite flamme de poils sombres montant de cet endroit secret entre mes jambes et j'ai lâché le miroir, mon visage est revenu à toute vitesse et a tremblé là, je me suis souvenue de la question de ma grand-mère et j'avais beau ne voir que moi dans le miroir, je ne me sentais pas seule : j'avais vu mes mamelons, mon endroit secret, comme il les verrait un jour, nus devant lui. Et là il y avait mon visage comme il le verrait. J'ai essayé de sourire pour lui, mais la moue entre mes jambes était très forte, et j'ai dû arrêter parce que ça devenait douloureux maintenant, ce plaisir, ce désir.

Je me suis séchée, je me suis enveloppée dans un peignoir de soie et je me suis étendue sur mon lit. J'ai pensé que si jamais j'avais un bébé je voudrais avoir une fille, alors que mon mari voudrait certainement un garçon. Si mon mari était vietnamien. Ça m'a fait rougir. Cette pensée portait en elle la possibilité que je n'épouse pas un Vietnamien, et je savais à qui je pensais. Je me suis demandé si les Américains ne désiraient avoir que des garçons ou s'ils étaient capables d'aimer une petite fille aussi. Je l'élèverais comme une bonne fille d'un grand État socialiste mais j'agirais aussi à l'ancienne.

Au Viêt-nam nous nous préoccupons du sort d'un enfant, de savoir s'il vivra très longtemps. Ma grand-mère m'a raconté comment le premier mois, dans les campagnes, la mère restait au lit avec son bébé, l'enfant bien serré dans ses couvertures. On le gardait à l'abri du soleil, de la pluie, des vents et de ceux dans le monde des esprits qui l'emmèneraient avec eux. Puis à un mois on le sortait en plein soleil, tout le village se rassemblait et on prenait une fleur de jasmin blanc trempée dans une eau spéciale que l'on trouve sur l'autel de la pagode, on tenait les fleurs au-dessus du bébé et une goutte de cette eau lui tombait dans la bouche. C'était pour rendre les paroles du petit aussi douces que l'odeur du jasmin toute sa vie.

J'ai demandé à ma grand-mère si on l'avait fait pour moi, elle a secoué tristement la tête et a répondu : «Non, je te le raconte parce que le jour où tu deviendras une femme du Viêt-nam, il faut que tu le saches pour ton propre enfant.»

J'ai été triste quand elle a dit ça. J'aurais voulu prononcer des mots aussi doux que le jasmin, mais je ne le pouvais pas. Peut-être que ça ne devrait pas m'attrister, dans ce Viêt-nam moderne, avec le travail que je fais. Peut-être que je suis mieux comme ça. Mais je le voudrais pour ma fille. J'étais allongée sur mon lit, la nuit où j'ai vu mon corps dans mon miroir à travers les yeux de Ben, et j'ai rêvé de mon enfant, c'était tellement idiot, je m'en rendais compte. Je ne connaissais pas cet homme, cet homme que je pensais déjà à épouser. Mais il en a toujours été ainsi dans mon pays. Dans les anciennes coutumes les parents choisissaient pour leur enfant, et la femme ne rencontrait son mari qu'après les fiançailles. Est-ce tellement différent ? Je m'étais assise avec Ben et je lui avais préparé du thé, il était au courant pour les esprits des ancêtres, il m'avait parlé gentiment et j'aimais son visage avec ses yeux sombres et sa mâchoire de dragon. Alors je pensais à la façon dont je laisserais tomber une goutte d'eau sur les lèvres de ma fille.

Pourtant le souvenir qui m'était venu brutalement

ne s'est pas arrêté là. J'ai posé une dernière question à ma grand-mère quand elle m'a appris cette chose nécessaire sur la façon d'être une mère vietnamienne. J'ai demandé : « L'as-tu fait pour ma mère ? »

Elle a paru un peu surprise par cette question, alors qu'elle n'aurait pas dû. « Oui », a-t-elle répondu.

J'avais treize ou quatorze ans à l'époque, ma mère était partie depuis un bon moment et je me réjouissais qu'elle soit en sécurité, j'aurais voulu qu'elle soit morte et j'étais contente qu'elle ait reçu la goutte d'eau de jasmin sur les lèvres quand elle était bébé, mais j'étais en colère qu'elle ne m'ait pas donné cette chose précieuse. Et puis j'ai pensé à quelque chose qui m'a fait tout mettre en doute. C'était cette femme, ma mère, qui avait reçu l'eau précieuse. « Donc ça ne doit pas marcher », ai-je dit. Ma mère avait prononcé quelques paroles douces, j'imagine, mais aucune dont je me souvienne, et certainement pas toutes les paroles de sa vie tout entière, et même si ses paroles à tous les hommes leur avaient paru douces, ce n'était certainement pas le but de cette tradition, d'adoucir les paroles d'une prostituée pour les hommes qui achèteraient son corps.

Pourtant, allongée sur mon lit, avec Ben juste au fond de toutes mes pensées, j'ai décidé que le moment venu je me rendrais dans une pagode, que je mettrais la précieuse eau sur une fleur de jasmin et que je la laisserais tomber sur la bouche de mon enfant. Elle aurait cette chose que je n'avais jamais eue. Et elle aurait une mère qui ne serait pas forcée de fuir et de ne jamais revenir. Et elle aurait un père.

Un père. J'étais allongée sur mon lit, mon corps ressentait des choses qu'il n'avait jamais ressenties et je rêvais d'un enfant, et qui était le père dans ce rêve ? Un Américain. Est-ce que j'imaginais qu'il resterait au Viêt-nam et que nous vivrions dans cette chambre où j'avais grandi ? Est-ce que j'imaginais que je quitterais le Viêt-nam pour aller en Amérique ? Non. Je n'imaginais rien du tout sauf un enfant dans mes bras et Ben tout près de moi. Tout le reste n'existait pas. Je ne pensais même pas à Ben en train de me toucher. Pas directement. Mon corps en rêvait à sa façon, tremblant, s'enflant et frissonnant, mais dans ma tête il n'y avait qu'une fleur de jasmin, une goutte d'eau et une enfant, elle était belle, ses yeux se posaient sur les miens et je m'y voyais, comme dans de minuscules miroirs obscurs, et puis j'ai senti une autre chose dans mon corps, un fléchissement, une violence, je voulais des choses pour elle et à travers cette volonté la colère me prenait. J'ai pensé : Était-ce vraiment pour moi que ma mère restait au loin ? La situation a changé maintenant au Viêt-nam. Elle pourrait venir à Hô Chi Minh-Ville, elle pourrait venir dans la rue où elle vivait, elle pourrait me trouver à l'endroit même où sa propre mère avait vécu autrefois et personne ne lui ferait de mal. Le gouvernement ne se soucie pas de ça maintenant. Il ne se soucie pas des putains des Américains. Est-ce vraiment pour mon bien qu'elle n'est jamais revenue ? Ou est-ce pour le sien ? S'était-elle lassée de son enfant ?

Où est-elle morte ? Est-elle morte pour mon bien ? Elle avait raison de cacher ma moitié américaine. Les enfants qui de toute évidence étaient des fils et des filles d'Américains étaient difficiles à comprendre pour nous tous après que la nation eut été unifiée.

Mais c'était parce que les cœurs de ces enfants étaient encore américains. Ils voulaient encore ce qu'il y avait dans ce pays-là. Mon gouvernement le croyait et on envoyait ces enfants en Amérique, où ils risquaient d'être heureux. Je n'ai jamais été comme ceux-là. Je pouvais garder cachée ma moitié américaine parce qu'elle n'avait jamais vraiment existé. Elle était morte

61

avec mon père avant même que je sois née. Je n'avais pas de père. Il n'y avait jamais eu de père. Son sang avait coulé avant que je sois née et il s'était échappé de moi aussi, même dans le ventre de ma mère. Son sang avait disparu. Mais le sang de ma mère me remplissait-il à sa place ? Ou étais-je une coupe à demi pleine ?

Je pensais à ces choses-là sur mon lit, le jour où Ben était ici pour la première fois. J'ai ouvert mon peignoir, j'étais nue et j'ai tourné les yeux vers la natte où il avait bu du thé et où j'avais rempli sa tasse de nombreuses fois, il buvait et ma tasse pleine était posée devant moi et refroidissait. Je ne pensais pas à moi. J'étais très heureuse assise là à remplir sa tasse et à le regarder boire ce que je lui avais apporté. Mon corps dans sa nudité était maintenant plein de désir, je comprenais ce désir et je savais que je voulais que Ben me touche, comme si j'étais la plus favorisée de toutes les fiancées arrangées à l'avance de toute l'histoire du Viêt-nam, comme si ma mère et mon père avaient choisi pour moi un homme magnifique et que nous nous étions rencontrés lui et moi, deux inconnus, le soir de notre mariage, vraiment, selon notre coutume, mais que nous nous étions aimés aussitôt et touchés, que c'était très beau et que nous remerciions nos parents d'avoir arrangé ça. Mais plus mon corps avait de désir pour lui tandis que j'étais allongée là, plus je comprenais tout ce qui s'était passé avant. Oui, j'étais une coupe à demi pleine seulement. Oui, le sang de mon père était parti et rien ne m'avait remplie dans ces endroits vides. Mais avec cet homme-là je sentais que c'était possible. Ça m'était égal qu'il soit américain. Je tenais mon enfant dans mes bras, la goutte d'eau de jasmin tombait sur ses lèvres et elle prononçait son nom. Ben.

Elle dit : « Ben. » Quand je mets ma main à cet endroit-là entre les jambes de Tien, elle prononce mon nom et je pense : C'est le moment où tout va s'arrêter. J'ai été trop vite. Je m'arrête et je suis prêt à enlever ma main, je commence à me maudire en mon for intérieur parce que je ne veux pas que ça s'arrête et que maintenant j'ai tout bousillé. Bousillé la chose la plus importante de toutes, car même ce bref contact est différent de tout ce que j'ai jamais ressenti et c'est brusquement très important. Du haut en bas du bord de mon index gauche repose sa douceur et j'en suis ébahi, c'est elle, c'est Tien que je touche, et je la touche dans un endroit qui paraît faire tellement partie d'elle et qui est tellement secret que je suis tiré hors de moi-même, j'ai l'impression que je viens de découvrir ma main, je n'ai jamais eu une véritable sensation là auparavant, mais maintenant oui, et je monte vers elle, je sais que je vais bientôt trouver d'autres parties de moi dont j'ignorais depuis toujours l'existence, qui n'avaient jamais existé. J'ôte ma main, elle est empourprée, je sens mon cœur qui y bat et Tien me dit quelque chose en vietnamien. C'est pressant, mais c'est doux. Et puis je crois qu'elle se rend compte de la façon dont elle a parlé et elle répète en anglais : « Je ne voulais pas que tu t'arrêtes.

— Tu as dit mon nom. Je ne savais pas.

— J'ai dit ton nom parce que j'étais heureuse que tu me touches là.

— Tu es sûre ?

— Je t'ai déjà dit que c'était d'accord.

— Pour tes seins. Je ne savais pas si ça s'appliquait…

— Oui.

— Je comprends maintenant. J'ai l'air d'un sacré imbécile.

— Tu as l'air très gentil.

— Pour moi aussi j'ai l'impression que c'est la première fois. »

Sa voix se fait plus ardente. « Ça fait vraiment cette impression ?

— Oui.

— Même si tu l'as fait des tas de fois ?

— Pas tant que ça. Je ne me souviens pas. »

Et c'est vrai. Je n'arrive pas à me souvenir. Je n'ai pas de passé non plus, on dirait. Ma main retourne vers cet endroit, Tien ouvre les jambes et j'ai du mal à respirer à cause de la tendresse de son corps à cet endroit-là, et à cause de tout ce qui s'est passé avant, aussi brouillée et parfois vide que soit ma mémoire, j'ai à présent une vive sensation de la longue route menant à ce contact, ce contact exquis et capital.

Un peu plus tôt elle est entrée dans sa salle de bains, comme la première fois où je suis venu ici. Elle a fermé la porte et j'ai été incapable de m'asseoir. Je ne savais pas que je la toucherais ce soir et en moi c'était la chute libre, j'avais les jointures blanches à force de me retenir, j'avais l'impression que je venais de franchir le bord d'une falaise et que je tombais. Je me suis retrouvé devant l'autel de ses ancêtres. Une demi-douzaine de bâtons d'encens étaient fichés dans un verre rempli de sable blanc. J'en ai pris un, sans vraiment d'idée en tête. Mes mains étaient agitées et j'ai pris un bâton d'encens, puis un autre, je les ai tous pris et les ai tenus ensemble, ils étaient froids, les extrémités étaient noires et froides, la fumée pour le père de Tien depuis longtemps dissoute dans l'air, et je me suis rendu compte que ma main tremblait. Ensuite j'ai sursauté à cause d'un bruit venant de la salle de bains et j'ai su que je ne devrais pas faire intrusion ici. J'ai planté l'encens dans le sable et j'ai reculé. De l'eau s'est mise à couler de l'autre côté de la porte de la salle de bains. Je me tenais au milieu de la chambre de Tien et j'ai tourné les yeux vers son petit autel sans visage.

C'était un petit monument à l'histoire familiale, à laquelle ces Vietnamiens croient profondément. Alors pourquoi en cet instant-là ne pas penser à ma propre famille ? Et même à des choses qui risqueraient, au premier abord, de paraître loin de ce qui était sur le point de se passer entre Tien et moi. Un petit peu d'histoire familiale qui me collait à la peau et ne s'en allait jamais, quel que soit le nombre de miles d'autoroute que je pourrais bien parcourir à toute allure pendant je ne sais combien de jours et de nuits dans les trente années à venir. Tien avait dit que son père était mort à la guerre. Je songeais à mon propre père, qui n'avait jamais eu l'occasion de mourir dans une guerre, et je songeais combien il en avait été déçu. Il avait dépassé la trentaine quand la Seconde Guerre mondiale avait éclaté, il travaillait dans l'acier, une industrie essentielle, et on avait refusé de le prendre. Et puis il avait un mauvais genou, quoique pas assez mauvais pour l'empêcher de travailler en équipe, et il était aussi fort que deux hommes, ça il ne s'était pas privé de le répéter au conseil de révision, pourtant on avait quand même refusé de le prendre. S'il était parti à la guerre et qu'il était mort là-bas, je n'aurais jamais vu le jour. Il s'en rendait compte. Il me l'a même dit une fois.

C'était pendant l'été 1965, il m'avait trouvé un boulot à l'aciérie un an auparavant, juste après que j'avais eu mon bac sans grande idée en tête sur ce que je désirais faire de ma vie. Ma mère voulait à toute force que j'aille en fac. Elle m'avait appris à apprécier les livres et je les appréciais, mais elle en était venue à les aimer d'amour, et il fallait quelque chose comme de l'amour pour vouloir véritablement les étudier, je crois que j'aimais mon père, il aimait l'aciérie et il aimait y travailler,

alors j'ai fait ce qu'il attendait de moi. Il était contre-
maître au bâtiment Nord, à l'époque, et il m'a posté au
haut-fourneau à faire ce qu'il avait fait une grande partie de sa vie, travailler.

C'est en juillet de cette année-là que nous nous
sommes retrouvés un après-midi, avant de prendre notre
poste à seize heures pour l'équipe de nuit. C'était dans
un bar juste au bout de la rue de l'usine, les Cards passaient à la radio, ils jouaient contre les Cubs à Wrigley
Field et Bob Gibson lançait. Je m'en souviens parce que
ça rendait le silence entre mon père et moi confortable,
le baseball. Je n'avais que dix-neuf ans, mais si vous
aviez aux pieds des chaussures de sécurité, autour du cou
des lunettes de protection, et que vous sentiez déjà
l'aciérie même si votre sueur était encore propre avant
un travail posté, ils ne posaient pas de question au Half
Moon Bar, mon père et moi faisions donc chacun durer
une Bud, ni l'un ni l'autre n'étant un vrai buveur, et
Harry Caray était furax à la radio à cause d'une action
mal menée des Cardinals sur le terrain, le *Globe Demo-
crat* du matin traînait sur le bar avec un gros titre sur les
Marines à Da Nang, et c'était en fait à ça que pensait
mon père dans son silence.

Finalement il a dit : « Tu crois que tu devrais partir ?
— Où ?
— Au Viêt-nam. À la guerre.
— Je ne pensais pas à ça.
— J'ai raté le coche.
— Je sais. »

Je connaissais déjà toute cette histoire, je la connaissais depuis un certain temps.

« Si ça prend de l'ampleur, ils auront besoin d'hommes », a-t-il ajouté.

J'ai opiné et tourné la bouteille dans mes mains un
certain nombre de fois, l'étiquette devenait détrempée,

j'ai commencé à la décoller et ce qui me remuait c'était la façon dont il disait «des hommes», un sentiment que je ressentais depuis aussi longtemps que je pouvais m'en souvenir refaisait surface, un sentiment qui m'avait placé dans ce bar à ce moment-là avec des chaussures de sécurité et des lunettes de protection autour du cou, le sentiment que mon père me considérait comme un homme et qu'il savait que j'étais capable de faire les choses pénibles, sans problème, j'ai arraché l'étiquette de la bouteille et l'ai roulée en une petite boule dense que j'ai posée avec douceur. C'était déjà décidé, je m'en suis rendu compte. J'allais finir dans cette guerre. J'allais faire ce truc pour la même raison que j'avais fait à peu près tout le reste jusque-là. Pour lui. Tout sauf lire un paquet de bouquins et essayer de comprendre comment maîtriser mes mots dans certaines circonstances, parce que ça je l'avais fait pour ma mère.

«Je saurai me débrouiller, ai-je dit.

— J'en étais sûr», a-t-il répondu, et sa voix m'a étonné par sa douceur. Ni lui ni moi n'avions regardé l'autre depuis que nous nous étions assis là, épaule contre épaule, au bar. Maintenant je voulais le regarder, mais je ne l'ai pas fait.

Il a ajouté : «Parfois j'ai l'air de dire que je n'ai que des regrets parce que je n'ai pas fait la guerre. Mais ce n'est pas grave. Si j'étais parti je ne serais peut-être pas revenu pour faire un fils.»

Il m'a dit ça. Cet homme n'était pas très loquace, d'habitude. Et peut-être qu'après avoir suggéré que je parte à la guerre et mette ma vie en danger comme il n'avait pas pu le faire, peut-être qu'alors il fallait qu'il essaie de me dire que ce n'était pas parce qu'il n'y accordait pas de valeur, à ma vie. Comment cet homme qui était mon père pouvait-il dire une chose pareille ? C'était peut-être ça. Debout devant l'autel de Tien, j'ai détourné le visage de cette chose qui ne laissait même pas un homme mourir et puis basta. Je ne voulais pas que mes yeux soient pleins de ces conneries de larmes quand elle entrerait vêtue de soie et encore humide de sa toilette.

Mais le souvenir refusait de me lâcher. C'était le jour où il m'avait raconté qu'on avait essayé de le tuer à l'aciérie. Mon père avait vécu une longue vie avant que j'arrive. Il était à l'aciérie pendant la Grande Dépression, et l'été qui avait précédé la première victoire de Roosevelt il se passait un tas de sales trucs. Mon père détestait le type qui possédait l'aciérie et ce qu'il faisait aux ouvriers. Alors il s'est mis à fréquenter les radicaux. Il ne connaissait rien au communisme. Il voulait simplement que les choses s'améliorent pour les hommes qui travaillaient aux fourneaux avec lui.

Quand mon père a dit qu'il était heureux d'avoir un fils, là je me suis tourné vers lui. Il considérait sa bière. J'ai attendu qu'il regarde de mon côté, bien que ça m'ait suffi qu'il ait prononcé ces paroles. Ça faisait un moment qu'il y songeait, je crois. Il fallait qu'il le fasse comme il l'avait prévu. Il a gardé les yeux sur sa bière, ou peut-être sur ses mains, ses grandes mains épaisses posées sur le bar devant lui.

Et puis il m'a raconté une histoire le concernant. Il a dit : « En 32, ça allait mal dans cette ville. Les hommes qui travaillaient ici avaient des ennemis qu'ils ne s'imaginaient même pas. Mais moi j'essayais. Le plus grand des ennemis était le propriétaire des Aciers Wabash. John J. Hagemeyer. Je n'ai jamais caché mes sentiments. Alors il a envoyé un de ses sbires au fourneau B avec moi. À l'époque on avait des équipes de deux hommes qui entraient dans les fours un court instant pour détacher les paquets de poussière de conduit dans le briquetage. On ne pouvait pas y rester longtemps. C'était le boulot le plus dur du travail en équipe. Rien de comparable. On montait le long du fourneau, et puis on passait par une trappe au sommet sans rien d'autre qu'une lampe de mineur et une tige en fer, on descendait dans le four et c'était comme d'avancer dans un feu. Mais une fois, Hagemeyer a envoyé un de ses gars avec moi, il y avait un endroit là-dedans où d'un côté c'était un puits ouvert donnant directement sur la chambre de combustion. Je travaillais pas loin et le sbire m'a sauté dessus, a essayé de me jeter dans le trou. Mais après une lutte rapide et violente c'est lui qui a dégringolé dans le puits et qui est mort. Rien que les trente petites secondes de lutte m'ont moi aussi presque tué dans cet endroit. On ne pouvait pas respirer. Mais je me suis hissé hors de là et ta mère et moi sommes finalement partis pour l'Ouest un certain temps. Jusqu'à ce que la guerre éclate et que tous mes ennemis des Aciers Wabash soient partis ou morts. Même Hagemeyer. En 1941, il n'était plus qu'un nom de rue. Alors nous sommes rentrés. »

Jamais il ne m'avait parlé aussi longtemps, je crois. J'avais le souffle coupé d'avoir entendu sa voix prononcer tous ces mots, en me demandant quand ils s'arrêteraient, reconnaissant de les entendre quoi qu'il ait pu raconter. Il avait failli mourir. Quatorze ans avant ma naissance. En se battant contre un homme. En tuant un homme. C'étaient des choses qu'un père risquait de dire à son fils un jour ou l'autre, mais pourquoi ce jour-là ? Ce n'est que plus tard que je me suis interrogé, et bien sûr je ne le lui ai jamais demandé. Peut-être parce qu'il venait de dire à son unique enfant qu'il devrait partir à la guerre. Peut-être qu'il voulait que je sache qu'il avait lui-même affronté la mort dans ce qu'il jugeait être un autre genre de guerre. Sinon, il avait le sentiment de ne pas être en droit de me le demander. C'est peut-être venu sur le tapis parce que c'était pour moi un autre risque de ne pas être né. Il se réjouissait que je sois né, il était résolu à me le dire et c'était peut-être là le lien dans son esprit. Et peut-être que tout ça, tout ça, y compris la raison pour laquelle je devrais partir au Viêt-nam, avait quelque chose à voir avec le fait de décider pour quoi on est prêt à mourir.

Quelles que soient les raisons, il s'est contenté de dire ce qu'il voulait dire et rien d'autre, et je n'en ai pas demandé davantage. Je me suis tourné vers ma bière et j'ai posé les mains sur le bar, autour de nous il y avait une masse confuse de termes de baseball et le souffle grave d'un semi-remorque qui filait dehors, je me passe le poignet sur le front pour y essuyer la sueur, ici, dans l'appartement de Tien, et il n'y a plus de danger de larmes. Le passé n'est plus une histoire de larmes et de fumée. C'est simple maintenant. Je suis parti. Je suis revenu. Il est mort. Ma mère est morte.

Et ce souvenir qui a resurgi avant que Tien soit sur le point de sortir de son bain. Je vois à présent que la discussion avec mon père était le premier jalon sur une longue route qui m'amènerait un jour jusqu'au lit de Tien. Et le virage à 180 degrés qui l'aurait empêché était là aussi. Si c'était mon père qui était tombé dans ce puits. Mais pendant ces trente secondes dans le four du fourneau B, il y a plus de soixante ans et à un demi-monde d'ici, mon père a tué un homme, et résultat Tien est sortie de sa salle de bains les cheveux, la gorge et les mains encore humides, elle m'a trouvé là et maintenant j'ai mis la main dans cet endroit doux et secret de son corps, et elle dit mon nom, j'ai peur d'avoir été trop vite mais elle dit que c'est d'accord, j'avance la main une fois de plus vers cet endroit et je la touche.

Cette fois-ci, sachant avec certitude que c'est d'accord, sachant que Tien et moi allons faire l'amour, je m'embrase à l'intérieur, je suis descendu dans le four, le briquetage est propre, la chaleur s'échappe en bouillonnant, et je brûle. Avec douceur, mais je brûle. J'ai chaud dans mes vêtements, je suis bloqué dans une posture douloureuse et ses yeux sombres m'observent, ils attendent, je me penche vers elle et de nouveau nos lèvres se touchent, très doucement je passe la main sur elle et elle soupire dans notre baiser, je sens son souffle passer en moi comme si on me tirait agonisant de la mer et qu'elle voulait me faire revenir à la vie.

Je suis encore hésitant. Je dois d'abord lui demander. Je détache ma bouche de la sienne et je dis : « Est-ce que je peux ôter ces vêtements ?

— Les tiens ou les miens ?

— Les deux. En fait je pensais aux miens.

— Suis-je prête ? »

J'entends la puérilité de ma question. Je devrais savoir si mon corps est prêt à prendre un homme en lui. Il l'a déjà fait. Non. J'ai dit un mensonge véridique à Ben et je dois entendre sa vérité. Ce n'est pas qu'une question d'être prête pour un homme. C'est cet homme-*ci*. Personne d'autre n'a été Ben.

« Es-tu prête ? » répète-t-il, complètement dérouté par la question, et je suis gênée.

« Oui, je suis prête », dis-je, en prétendant que c'est sa question et que je lui donne ma réponse. Il n'en est que plus perdu. Et j'ajoute : « Merci de me le demander. »

Il me regarde avec des yeux ronds, en essayant de comprendre.

« Oui tu peux, dis-je, en essayant de passer à la question de nos vêtements.

— Est-ce que tu le fais exprès ? » demande-t-il. Sa voix est douce et dans la lumière du néon j'aperçois son

71

front qui se plisse et sa bouche qui esquisse un sourire. Je l'amuse.

« Oui. Je suis une comique », dis-je. Pourtant, si c'est la vérité, alors ça vient tout juste de m'arriver.

« Je suis vraiment dérouté maintenant », avoue-t-il, mais il y a quelque chose d'enjoué dans sa voix et il n'y a rien de déroutant à ce qui se passe entre sa main et cet endroit particulier de mon corps. Ça j'en suis convaincue.

Je dis : « Je vais aider à clarifier les choses pour toi. Oui je suis prête. Oui tu peux ôter ces vêtements. Les tiens et les miens. »

Il sourit de nouveau, il rapproche son visage, il m'embrasse sur la bouche et ce baiser me plaît, mais dès qu'il est fini je dis : « Je ne plaisante pas. » Parce que je suis prête.

Il hoche la tête et dit : « Je te remercie.

— Non, je te remercie. »

Et il commence avec moi. Il s'écarte, je suis déjà nue au-dessus de la taille et ça m'est très agréable, il pose les mains sur le bord de mon pantalon. Je m'attends à ce que des choses passent en flottant dans ma tête, comme les bouts de jungle dans la rivière Saigon, je m'attends à ce que les choses avec lesquelles je vis toujours dans ma tête continuent simplement à passer par là : ma mère, mon père, ma grand-mère, mon travail et la république socialiste du Viêt-nam — ce qu'elle est et ce qu'elle attend de moi — et même les dragons et les fleurs de jasmin de nos ravissantes histoires. Mais quand Ben glisse ses mains sous le rebord de mon pantalon et que ses jointures se posent, chaudes, sur mes hanches, tout s'évanouit et il n'y a plus que le glissement de ses mains sur mon bassin et vers le bord extérieur de mes cuisses, jusqu'à mes genoux et puis mes mollets et mes chevilles, et tandis que ses mains se déplacent je sens ma nudité émergeant pour lui dans leur sillage, et puis la soie se met en boule à mes pieds, et puis elle n'est plus là, je ferme les yeux et tout ce que je suis est dans ma peau, tout ce que j'ai besoin de savoir ouvre mes pores dans l'air moite de cette pièce, et j'attends les yeux fermés, pas parce que j'ai peur mais parce qu'en ce moment précis je suis devenue ma peau et voir n'a pas de rapport avec cette sensation, et puis la peau de Ben tombe sur moi, sa cuisse contre ma cuisse, sa poitrine contre ma poitrine, j'ouvre les yeux, son visage est à côté de moi et je me tourne vers lui. Nos lèvres se touchent. Il touche ma joue avec ses lèvres. Je referme les yeux, ses lèvres sont sur mes paupières, et maintenant il y a un nouvel endroit de contact. Un point net et dur sur ma hanche et je sais quelle partie de lui fait ceci, et puis il se déplace et le point disparaît, il est sur moi et j'attends. Je ferme les yeux et j'ai l'impression que j'attends sous une fleur de jasmin, que j'attends qu'une goutte tombe sur ma bouche pour que je puisse parler pour la première fois. Et puis cet endroit spécial de mon corps, cet endroit de mystère si étrange et parfois si mièvre, cet endroit que parfois j'aime et que parfois j'évite, Ben commence à se faufiler dedans, et c'est ce que j'attends maintenant, j'attends que le reste de ma vie commence, je m'ouvre un peu, un peu plus, et puis il y a un déchirement dur et charnu, une douleur qui s'épanouit, rapide et brusque, dans mes entrailles et mes cuisses, et je suffoque.

«Excuse-moi, dit-il.

— Excuse-moi», dis-je. Je ne veux pas qu'il s'arrête. J'ouvre les yeux sur Ben. Son front est plissé au-dessus de moi. Il ne bouge pas. Je me sens tenue grande ouverte. Et maintenant la douleur est sourde. Et puis elle est minuscule. Et puis la voilà partie.

«Tu veux que j'arrête? demande-t-il.

— Va de l'avant dans l'intérêt de la révolution », dis-je, ce qui m'étonne. Ça sort d'un livre de classe des débuts de la libération. Je suis peut-être une grande comique après tout. Nous rions tous les deux et cet endroit spécial de mon corps se contracte sous l'effet du rire, son endroit spécial remue un peu, et le résultat, me dis-je bien vite, est très agréable, et je voudrais obtenir cet effet-là sans rire. « Plus de questions maintenant », dis-je.

Et maintenant il me fait l'amour. Je suis proche de lui. Je suis proche de cet homme. Je comprends soudain à quel point les gens sont loin les uns des autres, même quand ils passent tout près dans la rue, même quand leurs épaules se frôlent, même quand ils se regardent droit dans les yeux et prononcent le nom l'un de l'autre, il y a ce grand espace vide entre nous et maintenant il n'y a pas d'espace du tout, je m'agrippe au dos nu de Ben, il est en moi et mon corps est une masse confuse, ses cellules sont brutalement détachées les unes des autres, peut-être qu'elles l'ont toujours été et que je m'en rends simplement compte, je me rassemble pour Ben, tout est disloqué afin que quelque chose puisse trouver une sortie et se réunir en moi, prête pour lui, et mainte-nant brusquement tout ceci, toutes mes cellules, se pré-cipite en un seul point, je palpite fort là où nos corps sont unis, tout est soudain très clair et me voilà entière-ment recollée.

Il remue toujours, je me rends compte qu'il ne s'est pas encore donné et il dit : « Je vais sortir de toi main-tenant. » Je sais ce qu'il veut dire, et penser qu'il se répande en dehors de moi me semble une chose affreuse. Je le sens qui se retire.

« Non », dis-je et je le serre fort. « Et ne me demande pas si je suis sûre. »

Il se glisse de nouveau en moi et je m'en réjouis.

Et cette nuit-là, la première fois où je fais l'amour à cet homme, je serre Benjamin Cole contre moi. Nous sommes nus. Nous transpirons. Et puis je sais qu'il m'a tout donné. Et je suis une coupe pleine à ras bord.

Elle ne me veut pas hors de son corps et je ne lui pose pas de question. Ce qu'il y a entre nous semble imposer qu'il en soit ainsi. Elle le sait et je le sais. Et pourtant il y a un instant, juste avant que je sois sur le point de m'écouler en elle, où je crois que ça va être comme ça l'a toujours été, cette chose aura sa vie propre et je suis très crispé là en bas, le moment est presque venu, j'attends que quelque chose se libère d'un coup sec, un cliquet va perdre une goupille, mon corps va foncer en avant et je vais rester en arrière au milieu d'une autoroute vide à me demander où je suis parti.

Mais j'entends sa respiration. Courte, rapide, douce à mon oreille, Tien s'accroche à moi avec force, nos corps sont glissants et je suis incapable de distinguer une partie de l'autre, il n'y a pas un seul endroit où l'on puisse glisser une épingle et où nous pourrions nous disjoindre, pas même là où je deviens de plomb tant je suis prêt, pas même cet endroit qui est dur et qui pend n'est autonome à présent, nous sommes fondus l'un à l'autre, de haut en bas, de la caresse de son souffle sur mon visage à la pression de ses coups de pied sur mes cuisses nous sommes un corps aux parties perdues depuis une éternité, qui nous manquent seulement en rêve, réunies, et maintenant je fonce et elle articule un son qui passe en moi, nous ouvrons la bouche ensemble, nous crions et nous nous serrons plus fort, mon visage se trouve dans ses cheveux, ses cheveux obscurs, et cette obscurité sent vaguement le savon et l'encens, et elle sent, aussi, le diesel et les oranges, et bien que je ne puisse rien voir de mon corps je sais à son étreinte et à son odeur que je suis complet.

Nous ne détachons pas nos corps l'un de l'autre pendant longtemps. À un moment donné nous nous tournons sur le côté, toujours réunis, un monde qui pivote sur son axe, mais aucun de nous deux ne veut lâcher après ce que nous avons fait, nous restons allongés sans parler, et dès qu'elle fait un léger mouvement, le déplacement d'une jambe, le glissement d'un bras, le plus petit ajustement de son visage contre ma poitrine, cela me surprend un peu et puis cela me ravit, elle est quelqu'un d'autre que moi mais elle est moi également, je sens le mouvement de son corps comme étant mon propre mouvement, et je ne suis pas seulement complet, je suis multiplié, je suis riche de membres, de chair et de voix.

« Je t'aime », dis-je. Je ne m'attends pas à le dire, bien que je le pense, et j'attends que mon autre voix réponde.

Il dit les mots que, je m'en rends compte, j'aurais dit moi-même dans quelques instants à peine. Je recule la tête pour pouvoir le regarder. Sa joue est rougie par le néon et bien que ses yeux soient dans l'ombre, je vois à quel point ils sont fixés sur moi. C'est très facile de trouver une réponse pour lui, mais je dois lutter pour défaire un gros nœud dur dans ma gorge afin de laisser passer ma voix. Je dis : « Je t'aime.

— C'est vrai ?

— C'est vrai.

— Tu es sûre ?

— Un de nous deux devait le dire en premier.

— Je ne m'attendais pas à le dire, avoue-t-il.

— Tu ne t'en rendais pas compte ?

— Pas avant d'avoir prononcé les mots.

— Je suis contente que tu l'aies dit en premier. Est-ce que c'est égoïste de ma part ?

— Non.

— J'étais sûre de mes sentiments, et puisque tu as parlé le premier, je pouvais être sûre des tiens. »

Il prend une mine sérieuse, ses yeux sont très sombres. « Tu peux être sûre, dit-il.

— Toi aussi, tu peux être sûr, dis-je. De moi. C'est pour ça que tu as demandé si c'était vrai. Tu as parlé le premier.

— Je ne doutais pas réellement de toi. Je crois que je t'ai demandé si c'était vrai pour que tu me le redises plusieurs fois.

— Je peux, dis-je.

— D'accord.

— Je t'aime, dis-je. Je t'aime.

— Est-ce que c'est égoïste de ma part ?

— Non. Je suis contente de le dire. Je l'ai dit seulement trois fois dans ma vie à un homme. »

Je l'ai senti qui comptait.

« La réponse est trois, dis-je.

— Maintenant. C'est tout ?

— Oui. Il n'y a que toi. »

Ses yeux se détachent de moi et sa tête s'enfonce dans l'ombre.

« Il y a quelque chose qui ne va pas ?

— Non », dit-il, bien que je sache qu'il y a quelque chose.

Je dis : « Je comprends qu'il y en a eu d'autres pour toi. »

Il hoche la tête, je sens pourtant que ce n'est pas tout.

Du coup, j'ai un peu peur. « Il y a quelqu'un maintenant ?

— Non. »

Il le dit rapidement, un mot comme une petite pierre dure, et je le crois.

«Je sens que quelque chose te gêne.

— Je ne sais pas, dit-il. C'est drôle. La seule chose qui me vienne à l'esprit qui ressemble à cette impression, c'est quand j'étais dans l'avion qui allait me ramener du Viêt-nam. Tu crois que tu vas mourir d'un moment à l'autre, et tu le crois si longtemps et si fort qu'il semble que tu l'aies toujours cru. Et puis brusquement tu sais que tu vas vivre. C'est ce que je ressens à l'instant.»

Je l'attire vers moi, je le serre dans mes bras et il me serre dans ses bras. Nous faisons comme ça un moment. Et puis il s'écarte un petit peu, pour pouvoir regarder mon visage.

Il dit : «Ça fait deux ans que je n'ai pas touché une femme. Tout ça était devenu tellement affreux que j'étais sûr que j'allais en mourir. Mais j'ai subi un examen et je n'ai rien. Sache-le. Je n'ai rien en moi qui nous tuera parce que nous faisons l'amour.»

Je lui fais un petit baiser sur la bouche et je dis : «Si tu n'en étais pas sûr, tu ne l'aurais pas fait. Je le sais.

— Comment pouvais-tu le savoir ?» Il ne demande pas ça comme si j'étais folle. Je pense qu'il veut comprendre comment je peux savoir que je l'aime.

Je dis : «J'ai regardé dans tes yeux et j'ai vu toute la tendresse dont je rêvais.

— Tu sais si peu de choses de moi.

— Je pourrais en dire autant.

— Demande-moi, dit-il. S'il y a quoi que ce soit qui risque de t'effrayer à mon sujet. Quoi que ce soit que tu veuilles savoir sur moi. Demande.» Et il s'assoit pour me montrer qu'il est sérieux.

Je m'assois, moi aussi, et je lui fais face. «Tu es libre de m'aimer ?

— Oui, tu l'as déjà demandé.

« — Tu as été marié ?

— Oui.

— Elle est morte ? » je demande, et mon visage devient brûlant à cause de la honte de la question. Je voudrais que oui.

« Je ne crois pas. Je n'ai pas de nouvelles d'elle depuis quelques années.

— Tu l'aimais beaucoup ?

— Non. Pas beaucoup. Autant que je le pouvais à l'époque, j'imagine. C'était ma faute. Autant que je le pouvais ce n'était pas beaucoup, voilà. Je suis venu ici, au Viêt-nam, et puis je suis rentré chez moi et je l'avais observée quand j'étais au lycée. Elle était… je ne sais pas. Il y avait chez elle quelque chose de joli, mais pas doux. C'était le genre de choses que je voulais à ce moment-là. Je l'avais observée au lycée, elle m'avait observé et j'imagine qu'elle avait vu quelque chose chez moi qui lui plaisait, mais nous ne sommes jamais sortis ensemble. Quand je suis rentré du Viêt-nam elle travaillait dans un libre-service et moi je vivais chez mes parents, et lorsque nous avons recommencé à nous regarder nous avons pu imaginer que la vie serait meilleure, plus intéressante, si nous vivions dans un petit coin tous les deux. C'est tout. Et ça a été meilleur un moment. Meilleur que les jours pesants. La façon dont les jours passaient et rien d'autre, à l'époque. Je ne sais pas si ça te dit quoi que ce soit, ce que je raconte. »

Ça me dit quelque chose, je crois, quand Ben raconte tout ça. Je crois que je connais les jours pesants. Je crois que c'est pareil pour moi, quand je ne pense pas à ce que je dois à la nation, au fantôme de mon père ou aux gens qui viennent au Viêt-nam pour comprendre le pays et que je leur parle en anglais de ce que nous sommes. Autrement, les jours où je ne travaille pas et quand mes prières sont terminées, il y a quelque chose de lourd au beau milieu de moi. Je peux m'asseoir dans cette pièce, j'écoute le bruit des motos qui passent et repassent, et quand elles laissent un petit peu de silence il y a un endroit dans le toit de cet immeuble qui prend le vent et bourdonne d'un bourdonnement grave, et ça continue, ça continue, la journée est très chaude parfois, je veux transpirer mais je n'y arrive pas, ma peau se remplit de ma sueur et ne la laisse pas partir, et c'est tout ce qu'il y a dans ma vie, rien que ces petits sons et ma sueur retenue, et je deviens triste d'une façon terne. Je pense que c'est de ça que parle Ben. Moi aussi, j'ai cette impression. Lui et moi, nous sommes pareils. Mais je ne lui dis rien de tout ça cette nuit de nos premières caresses. Il y a quelque chose d'autre qui traîne dans ma tête avec sa femme, comme l'odeur de son parfum. Je dis : « Vous avez eu des enfants ?

— Nous sommes restés ensemble plus de dix ans. Mais nous n'avons jamais eu d'enfant.

— Tu peux avoir un enfant ?

— Je ne connais pas la réponse. Mattie et moi n'avons jamais vérifié pour savoir quel était le problème. Ça pouvait être moi. Ça pouvait être elle. Ça pouvait être simplement que nous n'avons pas essayé suffisamment fort. Nous n'avons jamais essayé, précisément. »

Nous sommes assis l'un devant l'autre sur mon lit étroit. Nos jambes sont croisées, nous sommes encore nus et une sensation entre en moi que je n'ai jamais eue. Je sens cet endroit entre mes jambes comme une ouverture en moi, un voie d'entrée. Mais sans lui à l'intérieur, je sens la cassure que j'ai là, et il y a son flot, froid à présent, qui vient du dedans de moi, je ferme les yeux un instant et il y a un tournoiement dans ma tête. Ses mains sont sur mes épaules.

« Ça va ? » demande-t-il.

J'ouvre les yeux et les choses se calment. «Ça va, maintenant», dis-je.

Il retire ses mains, nous sommes face à face et je ne l'ai pas encore regardé. Je n'ai pas vu cette partie spéciale de son corps. Je peux baisser les yeux maintenant, je sais, et je la verrai, mais alors que j'y pense, je sens le tournoiement reprendre à l'intérieur. Je vais attendre pour le voir là. Je vais attendre. C'est suffisant pour l'instant que je sente mon corps de cette façon nouvelle. Et il y a beaucoup de choses que je veux encore savoir.

«Comment avez-vous décidé qu'il était temps d'arrêter votre mariage ?

— Après mon mariage, j'ai travaillé à l'aciérie un moment. Mon père en avait terriblement envie, que je retourne à l'aciérie. Alors c'est ce que j'ai fait. J'ai épousé Mattie, nous avons loué une petite maison en brique et j'ai pris le boulot que mon père voulait pour moi. Et rien n'a tourné rond. Jamais.

— Est-ce que les crimes de la guerre te tourmentaient ?»

Il détourne les yeux et brusquement je m'entends. Ce sont des choses vraies peut-être, qu'on m'a apprises, mais je n'entends pas ma propre voix quand je les prononce, et si je suis assise nue sur un lit avec un homme et qu'il peut baisser les yeux pour voir cette partie de moi qui est ouverte maintenant, alors je veux seulement parler avec ma voix. Je pose les mains sur ses épaules, exactement comme il l'a fait quand j'avais le tournis. Je dis : «Je ne pense pas que tu aies commis des crimes. Ce n'était pas de cette façon que je voulais le dire.»

Il me regarde de nouveau et il sourit un petit peu, mais d'un seul côté de sa bouche. J'essaie de comprendre ce que signifie ce sourire. Je dis : «Quoi que tu aies fait, c'était ton pays qui était le criminel.» Je m'arrête. Je m'entends de nouveau. Je dis : « Ces mots sortent de ma bouche. Je ne sais pas d'où ils viennent. »

Il touche ma joue du bout de ses doigts. « Ça va, dit-il.

— Je sais bien d'où ils viennent. J'ai entendu ça toute ma vie. Tu entends quelque chose toute ta vie et ça te fait parler d'une certaine façon. Même si tu viens de faire l'amour. » Je tourne la tête et j'embrasse le bout de ses doigts.

Quand Tien fait un petit discours de propagande, je lui touche la joue, elle embrasse le bout de mes doigts et je sais qu'à ce moment-là je l'aime davantage à cause de sa gêne, le fait que je me trouve ici paraît brusquement comme quelque chose qui a commencé il y a longtemps sans même que je le sache, comme si tout était établi en quelque sorte, c'est un sentiment étrange, j'imagine, surtout pour moi parce que je n'ai jamais marché dans tout ça, mais je n'arrive pas à m'en débarrasser, de ce sentiment. C'est comme si quelqu'un avait tout organisé, et je pense à ma mère.

C'était l'été, il était tard dans l'après-midi et mon père venait de disparaître au bout de la rue avec sa boîte à casse-croûte, parti jusqu'à minuit. J'étais assis sur la première marche de notre véranda et je l'avais simplement regardé, le roulement lent de ses épaules au rythme de son pas, jusqu'à ce que je ne le distingue plus. Et puis il y a eu un bruissement derrière moi et ma mère s'est assise à côté de moi. « Il est parti », a-t-elle dit.

Elle a regardé en direction de l'aciérie et puis elle s'est tournée vers moi et a dit : « Ce n'est pas grave. J'ai quelque chose pour toi, de toute façon. »

Soudain il y a eu un livre sur ses genoux. Qui venait de la bibliothèque, pour me le montrer elle avait attendu le départ de mon père. Je ne me rappelle pas quel livre c'était. Je suis désolé, maman, mais je ne me rappelle aucun des livres, vraiment, bien que je t'assure que je les ai lus pour toi et peut-être que j'en ai tiré un petit quelque chose. Mais elle avait un livre et puis elle s'est écoutée, le ton de ses paroles. « Je ne veux pas dire que ce n'est pas grave que ton père soit parti. Il aime aussi les livres. »

Je n'ai rien répondu. Et maman ne voulait jamais me raconter des mensonges. Elle y faisait très attention. Il fallait donc qu'elle parle jusqu'à ce que les choses soient claires. Elle a dit : « Ce n'est pas qu'il les aime, exacte-ment. Mais il n'a rien contre eux. Simplement il ne les adore pas comme toi et moi. Comme je n'adore pas tout ce qui concerne l'aciérie. Toi et lui aimez ça ensemble. Regarde le nombre de choses merveilleuses que tu as en toi. Beaucoup plus que n'importe qui. »

Elle a continué comme ça, en écoutant attentivement chaque mot qu'elle disait, en essayant de corriger ceci ou cela, jusqu'à la plus infime fausse impression. Elle me revient comme ça, maman, quand Tien fait des pieds et des mains en essayant de défaire ses paroles. Et je ne crois pas que je me souvienne des paroles de ma mère d'il y a quarante ans. Pas réellement. Pas si exactement. Mais elle me vient en tête tandis que Tien et moi sommes assis nus sur le lit, nous venons de faire l'amour et Tien parle à n'en plus finir de cette façon brusque-ment familière. Et j'entends la voix de ma mère pro-noncer ces mots exacts qui peuvent bien ne pas être exacts du tout. Elle paraît plus ou moins empêtrée dans tout ça, peut-être comme si elle me dirigeait vers la femme que j'aimerai un jour.

Mais je dis simplement : « Tu me rappelles quelqu'un.

— Qui ça ? demande Tien.

— Ma mère, un petit instant.

— Et c'est bien ?

— Oui. C'est très bien.

— C'est fini, pourtant ? Cette impression est finie ?

— Oui.

— Pardonne-moi, mais je suis contente. J'aime mieux être ta maîtresse qu'une mère. »

Je ris et pose la main sur son mollet. «Moi aussi. Ce n'était pas du tout comme ça.

— Bon.

— Et ta mère ?

— Je ne me souviens pas du tout d'elle.

— Bon, dis-je. J'aime mieux être ton amant qu'une mère.

— Moi aussi. »

J'aime le jeu de Tien, mais à présent c'est une vraie réponse qui m'intéresse. Je dis : «Où est ta mère ?

— Elle est morte.» Tien le dit aussitôt, en me regardant droit dans les yeux.

Je pense à l'autel de Tien. «Tu ne pries pas pour elle ?

— Elle ne mérite pas qu'on prie pour elle. »

Je dis ce mensonge à Ben sans réfléchir. C'est très facile et ça m'effraie.

Et puis je dis une vérité brutale sans réfléchir et peut-être que ça aussi, ça m'effraie, parce c'est une chose vraie que je ne suis pas prête à raconter.

«Je suis désolé», dit-il.

Ainsi parce que je dis un mensonge que je ne veux pas dire, je lui dis une vérité que je ne veux pas dire non plus. «Il n'y a pas de quoi être désolé. C'était une prostituée.

— Après la mort de ton père ?»

Il veut lui trouver des excuses. Il demande des choses qui me donnent envie de mentir encore. Mais j'ai aussi le sentiment que je dois dire la vérité à cet homme. Je suis assise, nue pour lui. J'ai ouvert mon corps pour lui. Je ne veux pas de tous les mensonges. Les mensonges que ma mère a inventés pour moi. Pourtant ouvrir la bouche et dire toute la vérité, d'un coup, semble une chose terrible. Je n'en ai pas la force. J'essaie de former les vrais mots dans ma tête, de les faire passer par ma voix dans cet espace entre Ben et moi, et j'ai brusquement l'impression d'être de pierre, comme si j'avais regardé la femme avec des serpents en guise de cheveux et que toutes mes entrailles se transformaient en pierre. Pourtant je réussis à articuler : « Non. Avant sa mort. »

J'entends ma voix et j'ai l'air très triste. Et Ben, tendre à sa façon, ne dit rien d'autre. Il baisse les yeux et murmure quelque chose de calme, quelque chose plein de chagrin et d'amour pour moi. Je l'aime encore davantage à présent. Simplement, dans ces quelques moments, j'aime Ben davantage. Ça me donne une envie terrible de parler, qu'il n'y ait plus que l'entière vérité là-dessus entre nous, mais ça me donne aussi peur de le perdre. Je ne dis rien pendant un moment. Il ne dit rien pendant un moment.

Et puis il parle. « Je ne sais pas qui étaient les criminels, qui étaient les victimes ni même quel était le crime, précisément. Mais des choses très moches, j'en ai vu quand j'étais ici. C'est drôle. Ces choses-là m'ont tourmenté pendant quelques mois quand je suis rentré, au début. Mais ça s'est effacé. C'était très moche, mais j'étais capable de m'en débrouiller. Ça ne brûlait pas en moi au bout de ces quelques mois.

— C'est une bonne chose, dis-je, en essayant de rattraper mes paroles idiotes d'avant. Je m'en réjouis.

— Mais quelque chose d'autre a pris la relève. C'était étrange. C'était une autre sensation qui ne brûlait plus avec violence mais, d'une certaine façon, ce feu atténué était pire encore, et ça n'arrêtait jamais. Jamais.

Et c'était parce que j'avais fait la guerre. Je le savais très bien. Parce que j'avais fait la guerre, quand je suis rentré chez moi et que je me suis trouvé face au restant de ma vie, tout paraissait plat, pesant. Il n'y avait rien d'important autour de moi. Pendant un an, ici au Viêt-nam, je me réveillais chaque jour et j'avais peur, je voyais des gens mourir, ou déambuler et sur le point de mourir, sans même se rendre compte de ce qui les attendait, alors que tout paraissait arrangé d'avance en quelque sorte, parce que le tableau des morts du lendemain serait ce qu'il serait, et il se pouvait que ce soit moi qui sois choisi, et ce sentiment-là ne m'a jamais quitté. Ça rendait tout le reste… je ne sais pas. Clair, j'imagine. Fort. Je me sentais vivant quand j'étais ici. Tendu. De retour aux États-Unis, il m'arrivait de ne même pas savoir ce qu'être vivant voulait dire. Je me réveillais le matin, je regardais les meubles et quelques arbres dehors dans la cour, je regardais la fumée qui s'élevait de l'aciérie dans le ciel et rien ne me semblait être vraiment là. Je sentais que dorénavant personne ne pouvait me tuer mais je n'en avais rien à foutre. »

Il dit tout ça et je crois que je le comprends. Je pose ma main sur sa jambe. Il pose sa main sur la mienne et il regarde nos mains réunies. Moi aussi, je baisse les yeux vers elles. Je dis : « Tu me dis des choses qui sonnent vrai.

— Je n'ai encore jamais dit ces choses-là. Sauf à moi-même sur la route. J'ai quitté l'aciérie quelques années avant que Mattie et moi rompions, et j'ai commencé à conduire des camions. Je conduisais un camion au Viêt-nam et ça me paraissait une bonne chose à faire chez moi. Ça m'a permis d'échapper aux meubles. Mais ça n'a franchement rien résolu. »

Il me presse la main et puis la lâche, et pendant un

moment sa main et la mienne restent là l'une à côté de l'autre. «Regarde», dit-il.

Mais ça y est je suis décidée à dire quelque chose. «Ma mère était hôtesse de bar. Et je ne sais pas si elle est vivante ou morte. Voilà la vérité.»

Il garde les yeux sur nos mains. Je ne sais pas s'il m'écoute vraiment. Sa voix se fait douce et il dit de nouveau : «Regarde.»

Ce que je fais. Il passe sa main doucement sur la mienne, et puis il la pose sur moi si bien que le bout de nos doigts s'évasent de chaque côté comme les ailes d'un oiseau. Il dit : «Nos mains se ressemblent.»

Il le dit tout bas. Du style : comme c'est adorable ! La lumière sur nous est rouge, à cause du néon, et sa main est très épaisse et puissante, et la mienne est fragile et fine, mais brusquement je vois ce qu'il voit. Les lunules sont pareilles. C'est la première chose que je vois. Il a de larges lunules montantes là en bas de ses ongles et moi aussi. Puis il fait glisser sa main jusqu'à ce que nos pouces se trouvent à côté l'un de l'autre et ils sont différents, évidemment, par certains aspects, mais il y a quelque chose d'autre là, quelque chose de carré vers le bout, que nous partageons.

«Tu vois, dis-je. J'étais faite pour toi.

— Oui», dit-il, très calme, toujours en train d'examiner nos mains.

Et je crois que je comprends quelque chose du calme qui est en lui. Il est triste à cause de la façon dont la vie lui apparaît après la guerre. Il est triste à cause de son père, de sa femme, de sa mère et de toutes les routes qu'il doit parcourir parce qu'il n'arrive pas à trouver quelque chose qui fasse que la vie le remonte, quelque chose de léger et de doux, et maintenant il m'a trouvée, il pense que je suis douce et le voilà remonté pour moi, et nous nous touchons. Ce sont de bonnes choses. C'est

87

un bon moment, et regarder nos mains le prouve, car nos mains semblent en quelque sorte venir du même créateur de mains, un créateur qui est un excellent artiste et son œuvre est très clairement sienne quand on la voit, même si les sujets sont différents.

Maintenant il me regarde et il sourit, de cette similitude, je pense, et je lui demande : « Tu as entendu ce que j'ai dit ?

— Excuse-moi. Sur ta… mère ?

— Oui.

— Qu'est-ce que tu as dit ? »

Je prends ma respiration, ne désirant pas répéter encore une fois. « En fait, je ne sais pas si elle est morte. C'était une hôtesse de bar.

— Est-ce qu'elle t'a abandonnée ?

— Oui. Quand les forces de libération étaient sur le point d'entrer dans la ville. Elle a craint pour sa vie. C'était une hôtesse de bar pour les Américains. »

Je ressens un petit choc physique à ces mots. Comme quand on passe sur un nid-de-poule dans le noir. Mais je crois savoir ce que c'est. Tien n'apprécie pas ce que faisait sa mère, et je ne lui en veux pas, mais je suis coupable du même genre de choses. Si Tien était une petite fille qui avait honte que sa mère couche avec des Américains, j'étais un de ces Américains qui à l'époque couchait avec une femme qui aurait pu être la mère d'un enfant. Je savais pourtant que ce n'était pas le cas de Kim. Mais c'était pareil. Voilà comment je le prends. Et il y a aussi le rappel de la différence d'âge entre Tien et moi. Ce n'est pas que ça me dérange. Si ça ne la dérange pas, ça ne devrait pas me déranger. Je me dis tout ça. Elle parle toujours et je ne la suis pas. Mais maintenant ça va.

«Excuse-moi, dis-je. Tu peux me répéter ça?»

Elle reprend sans une pause, sans un regard mauvais, sans m'en vouloir du tout de ne pas l'avoir écoutée pendant un moment. Je n'ai pas de souvenir précis, mais je sais que c'est différent de ce à quoi j'étais habitué, de ce que j'avais fini par trouver normal pour Mattie. Voici comment défilent mes pensées, vers des choses qui me font simplement aimer Tien davantage, à chaque petit tour. Elle dit : «Elle m'a laissée à sa mère, ici même dans cet appartement. Et puis elle est partie. Je crois qu'elle est retournée là où elle a grandi. Là-haut près de Nha Trang.

— Comment s'appelait ta mère?»

Quand Tien dit «Huong», je suis étonné de ressentir un bref petit soulagement, bien que je ne m'attarde pas pour essayer de comprendre pourquoi.

«Je n'ai pas envie de parler d'elle, dit Tien.

— D'accord.

— Elle ne compte pas.

— Bien sûr que non.

— Elle ne m'a jamais présentée à ses hommes.

— Elle essayait de te protéger.

— Oui. Tu es adorable d'essayer de me faire voir ça comme ça.

— C'est vrai, dis-je.

— Elle est partie pour cette raison-là, aussi. Pour me protéger. Elle avait peur que mon père…»

Tien s'arrête. Je pense que c'est simplement le chagrin. Son visage se durcit et elle détourne le regard, le plonge dans l'obscurité de la pièce, et je suppose qu'elle pense à toutes les prières qu'elle a faites, tout l'encens qu'elle a brûlé. Elle ne l'a jamais laissé tomber. À ses yeux, il est toujours dans cette pièce.

Tien dit : «Elle m'a fait mentir. Toute ma vie. Maintenant à toi. Je n'arrive même pas à dire simplement la vérité.

— Tu peux toujours me dire la vérité. »

Elle se retourne vers moi. Elle sourit. Elle lève la main et caresse ma joue du bout de ses doigts. « Oui, dit-elle. Ma mère est partie parce qu'elle ne voulait pas non plus que quelqu'un découvre que mon père était un Américain.

— Il est mort.

— Oui.

— Ton père américain.

— Oui. Je ne mentirais pas à ce point-là. » Tien incline la tête en direction de son autel des ancêtres. « Je fais de vraies prières.

— Évidemment. »

Nous nous taisons un moment. J'ai envie d'aller plus loin et je ne sais pas pourquoi. Je n'essaie pas de comprendre. Je ressens simplement l'impulsion d'insister auprès d'elle. Je dis : « Comment as-tu appris sa mort ?

— Il est mort avant même que je sois née.

— Alors c'est ta mère qui te l'a dit.

— Oui. »

Je n'ajoute rien. L'impulsion disparaît brusquement. La rue est silencieuse, je m'en rends compte. Pendant un long moment il n'y a rien. Le silence bourdonne faiblement dans la pièce. Puis il y a la pétarade lointaine d'un moteur de moto qui enfle en passant devant notre fenêtre, puis s'évanouit. Ensuite c'est de nouveau le silence. Il est très tard.

Tien dit, d'une voix douce : « Tu crois qu'elle a menti ? »

Je découvre maintenant que mon esprit est lent. Comme si j'étais à moitié endormi. « Quoi ? dis-je.

— Ma mère. Tu crois qu'elle a menti ? »

C'est déjà difficile, soudain, de fixer simplement les yeux sur Tien. Ça me prend quelques instants.

« À propos de la mort de mon père, dit-elle.

— Comment veux-tu que je le sache ?

— C'était une menteuse.

— Vraiment ?

— Oui.

— Mais seulement pour certaines raisons, dis-je.

— Il devait y avoir une bonne raison à ce mensonge.

— Laquelle ?

— Pour que je n'aie pas à penser à lui. Pour que je ne me sente pas abandonnée par lui. Pour que je ne me demande pas ce qu'elle avait fait pour qu'il s'en aille et ne veuille jamais la revoir. »

Je suis très fatigué à présent. Très las. Je décroise les jambes, pivote et m'assois au bord du lit, de profil par rapport à elle.

Elle dit : « Ce ne seraient pas de bonnes raisons pour qu'elle me raconte ce mensonge ?

— Quelle différence cela ferait-il maintenant ?

— Aucune. Tu as raison.

— Tu n'irais pas en Amérique pour essayer de le trouver ?

— Non. Bien sûr que non.

— Connais-tu son nom au moins ?

— Elle n'a jamais prononcé son nom », répond-elle, et je sens bouger près de moi.

Je jette un coup d'œil et la voilà assise à côté de moi maintenant. Je laisse mon regard tomber sur ses seins. Les mamelons sont sombres dans cette lumière. Ils sont dressés. Mes mains s'agitent, voulant les toucher, mais au lieu de cela je croise les mains sur mes cuisses.

« As-tu une photo de ta mère ? » et cette question dans ma bouche me surprend.

« Oui », dit-elle et elle se lève.

Je la regarde traverser la pièce, sa nudité ruisselant en moi, me remplissant, bien que je lui aie déjà fait l'amour cette nuit même. Je croise les jambes pour me couvrir quand elle se rassoit, une photo à la main. Elle se glisse tant bien que mal de l'autre côté du lit et allume une lampe sur la table de nuit. Elle revient de la même manière, rendue plus jaune par l'ampoule pâle, et je prends la photo en main, le cœur battant. À cause de sa nudité, me dis-je. À cause de la nudité de cette femme que j'aime. Je garde la photo un petit moment et quelque chose en moi veut la reposer sans l'avoir vue. Simplement la mettre de côté et caresser Tien de nouveau. Tout de suite. La pénétrer et vivre pour toujours dans la douceur de son corps, la douceur de son esprit. Mais je ne peux pas. Il faut que je regarde la photo.

C'est la photo d'une enfant. Très simple. Une fillette de sept ou huit ans peut-être, debout dans l'ombre d'un arbre aux larges feuilles qui est juste hors cadre. Peut-être un bananier. Elle ne pose pas. Elle sourit à peine. Elle lève ses yeux asiatiques profondément fendus vers l'avenir, vers la fille qu'elle quittera à peu près à cet âge-là et vers l'homme que cette fille aime. Elle pourrait être n'importe qui.

Ben regarde ma mère, je me recroqueville sur le lit derrière lui et je la regarde aussi. Je m'appuie contre son dos, pose une main sur son épaule. Il a très chaud. J'ai brusquement peur pour lui. Je lui touche le front pour voir s'il a de la fièvre. Il n'en a pas. Mais le toucher donne l'impression de s'approcher d'une flamme.

« C'est une enfant, dit-il.

— Oui.

— C'est la seule photo que tu as ?

— Oui. Ma mère a détruit toutes les photos avant de

s'en aller. Elle était très effrayée. Elle était un peu folle de peur. »

Il regarde le visage de ma mère un long moment.

« Tu as très chaud, dis-je.

— Vraiment ?

— Je croyais que tu avais de la fièvre.

— Elle pourrait être n'impore qui, dit-il.

— Je n'ai encore jamais eu peur pour la santé de personne.

— Peur ?

— Quand j'ai pensé un instant que tu avais de la fièvre, j'ai eu peur pour toi. »

Il tend le bras et touche ma main posée sur son épaule.
« N'aie pas peur, dit-il.

— Je n'ai pas peur, maintenant. Tu n'as pas de fièvre. »

Il me presse la main. Puis il me tend la photo de ma mère pour que je la prenne. Ce que je fais. Je me lève, je commence à traverser la pièce et tout mon corps picote du fait que je suis nue et vue par cet homme que j'aime encore plus qu'un moment plus tôt, rien que du fait de cette petite pression sur ma main et de la façon dont il est sûrement en train de me regarder de dos pendant que je bouge. Je m'éloigne de lui d'un pas, puis d'un autre pas, je suis nue pour lui et maintenant je me sens lourde, mes membres se changent de nouveau en pierre tandis que j'avance encore d'un pas, puis d'un autre pas, et je ne sais pas pourquoi mais je suis brusquement très consciente de ma mère dans ma main et je me demande où elle est et à quoi elle ressemblerait si je pouvais la voir, à l'instant même, de mes yeux d'adulte.

Je suis devant ma commode-coiffeuse, je me penche vers le tiroir du bas, je l'ouvre, je soulève le couvercle d'une petite boîte en laque et je range la photo. Je ferme le couvercle, je repousse le tiroir et je me retourne, m'attendant à trouver les yeux de Ben posés sur moi. Mais il est allongé sur le lit maintenant, le visage tourné vers le plafond, couvert jusqu'à la taille avec le drap.

Je retraverse la pièce dans sa direction, les jambes toujours lourdes et un peu gênée maintenant, me sentant à découvert. Il tourne le visage au dernier moment et me voit, il sourit, avec un regard très tendre dans les yeux, et je me sens bien de nouveau. Le passé est retourné dans sa boîte, mon corps est léger et même je m'arrête pour Ben, je m'attarde un peu, en sachant à son regard qu'il aime me voir.

« Je suis très fatigué, dit-il.

— Moi aussi, je crois.

— Je peux rester ?

— Oui. Je n'ai même pas imaginé que tu serais ailleurs ce soir. »

Il sourit de nouveau, tourne les yeux vers le plafond et ferme les paupières. Je me glisse au lit à côté de lui, me couvrant aussi jusqu'à la taille, ma hanche touchant la sienne sous le drap. Je me sens un moment réunie à lui à cet endroit, comme si le point où nous nous touchons ne pouvait être défait, comme si nous étions les jumeaux sur lesquels j'ai lu quelque chose, qui sortent du ventre de leur mère leurs deux corps unis. Frère et sœur. Non pas que je veuille quoi que ce soit qui ressemble au sentiment entre un frère et une sœur avec Ben. C'est simplement ce lien que j'imagine à cet endroit sur nos hanches nues.

Ce que je veux vraiment c'est qu'il me caresse encore, même maintenant. Pas du tout comme un frère et une sœur. Je veux qu'il caresse de nouveau mon endroit secret, même si je me sens très délicate là. Ce serait un peu douloureux s'il me caressait là maintenant, je le sais, mais je veux qu'il le fasse quand même. Et tout ça me fait penser aux paroles pressantes de ma mère quand je lui ai rapporté l'histoire du début du Viêt-nam. Il y avait cent fils, m'a-t-elle raconté. Mon amie m'avait raconté qu'il y avait cinquante fils et cinquante filles parmi les enfants du dragon et de la princesse, et que ces enfants grandirent et devinrent les ancêtres de tout le peuple vietnamien.

Mais allongée à côté de Ben, cette nuit où nous faisons l'amour, je me rends compte brusquement que dans l'histoire que j'ai entendue dans le banian, il fallait que ces frères et ces sœurs aient fait l'amour les uns avec les autres. Dans cette histoire, tout notre peuple a commencé avec un frère et une sœur couchés nus ensemble, se caressant et unissant leurs corps. Ma mère n'aurait pas voulu que j'y pense. C'était derrière l'ardeur de ses paroles. Mais sa version de l'histoire n'expliquait que la lignée de nos rois. Elle n'expliquait pas d'où venait le restant d'entre nous. Dans son histoire, cela demeurait un mystère. Pourtant les épouses de ces rois n'ont pas surgi des arbres, ni de la fumée de leurs feux, ni de la terre. Il fallait qu'il y ait autre chose. Certainement qu'une chose telle que l'amour entre un dragon de la mer et une princesse des fées était faite pour donner naissance à toute une nation, et pas seulement mettre des hommes sur un trône. Peut-être était-ce là un autre des mensonges de ma mère. Peut-être que ces frères et ces sœurs se sont étendus ensemble et se sont aimés.

J'en frissonne, comme si j'étais brusquement frigorifiée, comme s'il y avait quelque chose qui rampait juste sous ma peau, quelque chose de très froid. Je n'ai jamais eu de frère ni de sœur, alors cette idée ne concerne que des gens inventés dans ma tête, mais quand même, ça me paraît très bizarre, ça me noue la poitrine comme aux premiers jours de la libération, quand les hommes dans les rues avec des fusils vous regardaient tout à coup et que vous ne saviez pas s'ils reconnaissaient que vous étiez simplement une petite fille ou s'ils pensaient que vous étiez quelqu'un d'autre et qu'ils risquaient de vous tuer. J'ai cette impression-là.

Alors je me tourne sur le côté, vers Ben, rompant cet endroit sur nos hanches où lui et moi sommes unis, je pose la main sur sa poitrine et je veux faire descendre ma main vers l'endroit où nous avons été unis comme les enfants du dragon et de la princesse, les frères et les sœurs qui n'avaient pas honte du sang qu'ils partageaient. Mais je ne bouge pas la main. Pas tout de suite. Je suis contente de me retenir et de savoir que je pourrai faire cette chose à n'importe quel moment. Il va dormir à côté de moi, je vais dormir et je pourrai me réveiller n'importe quand dans la nuit et le caresser là. Savoir que je peux le caresser et me retenir est une chose agréable. Cette étrange chaleur qui ressemble à la peur disparaît. Le bras de Ben passe autour de mes épaules et m'attire plus près de lui. Je dis : « Pourquoi es-tu venu ici ? »

Il y a aussitôt une réponse dans ma tête. Comme presque tout ce qui s'est passé en moi depuis que Tien et moi avons fait l'amour, cette réponse me vient, c'est tout, et c'est comme si je me carrais sur mon siège en attendant moi-même de voir ce que c'est. Les choses me viennent et je ne sais pas d'où. Je dis : « Je crois que c'était pour te trouver. »

Cette réponse la laisse aussi perplexe que je le suis. Elle dit : « Tu savais ?

— Je ne savais rien du tout. » J'attends un moment pour voir ce que je veux dire. Je fixe l'obscurité au-dessus de nous. Un gecko se tient immobile dans une ombre, juste en lisière d'un rai de néon, attendant une chose dont il sait qu'elle s'approche. Je sens la chaleur de la paume de Tien sur ma poitrine, la pression de son corps dans le cercle de mon bras. Tien me semble familière. Je crois que je le ressens de façon fugitive. Mais ça arrivait de temps en temps sur la route. Je me glissais dans une ville quelque part, je n'y étais jamais venu de ma vie mais elle m'était familière. Je le prends comme ça. Je dis : «Je veux dire que c'était plus ou moins censé arriver ainsi.

— Tu crois ?

— Oui.

— Tu crois que quelque chose comme un dieu t'a amené ici ?»

J'aurais dû m'attendre à ce qu'elle le prenne de cette façon. C'est naturel. Mais ça dépasse de beaucoup ma remarque. «Je ne sais pas. Je crois que je raconte simplement ce qui me passe par la tête. Des choses que les gens sont censés dire quand ils bavardent ainsi.

— Je ne connais pas bien cette coutume.

— Mais je pense que je crois aussi ce que je raconte. Sur nous.

— J'ai été élevée dans la religion bouddhiste, dit Tien. Je ne suis pas une très bonne bouddhiste. Ma mère n'était pas très religieuse. Comment aurait-elle pu l'être et faire ce qu'elle faisait dans la vie ? Ma grand-mère croyait en l'esprit de son mari défunt, et en l'esprit de son père. Mais ce n'est pas vraiment le bouddhisme. C'est quelque chose que les oppresseurs chinois nous ont apporté il y a un millier d'années.

— Le bouddhisme explique-t-il pourquoi je suis ici ?

— Je ne crois pas. Le bouddhisme dit que toute la souffrance du monde vient du désir.»

J'attire Tien plus près de moi, en coulant ma main vers la pointe de sa hanche, en laissant sa peau courir doucement dans ma paume, le long de mon bras, à l'intérieur de ma tête. Je veux que les choses soient claires

97

pour moi maintenant, sur elle, sur tout ce que cette histoire signifie. Il se passe en moi trop de choses que je n'attendais pas. On dirait qu'il y a quelque chose dans l'ombre qui me guette. «Est-ce que tu souffres maintenant ?

— De mon désir pour toi ?

— Oui.

— J'ai dit que je n'étais pas une très bonne bouddhiste.

— Il n'y a que les très bons bouddhistes qui souffrent du désir ?

— Ils souffrent du désir de ne pas éprouver de désir.

— C'est mieux, non ?

— Oui», dit-elle, et sa main glisse le long de mon ventre jusqu'à cet endroit qui maintenant est flasque et calme, mais je frémis sous ses doigts. Et presque aussitôt la nuit commence à s'estomper en lisière, juste quand je pense que j'allais me réveiller dans ma tête comme je semble le faire dans mon corps, l'obscurité au-dessus de moi tourbillonne à la manière d'une fumée d'usine, le gecko disparaît et j'ai soudain envie d'abandonner tout ce que je peux voir, entendre et sentir contre moi. Je dis : «Je suis très fatigué maintenant, Tien», et sa main s'immobilise.

«Ça ne t'ennuie pas ? demande-t-elle. Que je te caresse ?

— Bien sûr que non.

— Allons-nous dormir maintenant ?

— Je crois bien.

— Mais avant, peux-tu le redire encore une fois ?

— Oui. Et toi ?

— Je vais le dire.

— Je t'aime», dis-je et je sais que je le pense, bien que cette fois-ci les mots sortent avec brutalité. À cause de cette soudaine lassitude. À cause de ça, me dis-je, parce que je sens la lame de fond du sommeil rouler sous moi, me soulever dans l'obscurité, et je n'entends même pas Tien me dire les mots à son tour.

Je me réveille dans le soleil éclatant. Je me souviens un bref instant qu'elle m'a embrassé pour me dire au revoir. Elle s'est levée tôt pour aller travailler, j'étais plongé dans un sommeil sans rêves et ses lèvres m'ont réveillé, sur ma joue, sur mon front, puis sur ma bouche, j'ai passé un bras autour de sa taille, elle était en uniforme Saigontourist et j'ai senti l'odeur de son maquillage, elle a dit : « Je te retrouverai ce soir. » Et puis elle a disparu et je me suis de nouveau perdu dans le sommeil.

Et maintenant je suis réveillé et la matinée est bien avancée. Le vrombissement des motos emplit la pièce et je me redresse. Le drap est entortillé loin de moi, je suis nu et je pense au baiser de Tien, et qu'il se peut qu'elle m'ait vu étendu là dans ma nudité. Du coup, ça m'excite. Et aussitôt mes mains s'avancent vers le drap, défont les nœuds à tâtons et tirent le tissu sur moi. Cette étrange bouffée de pudeur dans une pièce vide semble venir directement de mes mains, et je les regarde comme si elles pouvaient s'expliquer.

Puis j'essaie de somnoler de nouveau, mais je n'y arrive pas. Je finis par me lever, je suis nu pendant un moment au milieu de la pièce, dans l'éclat du soleil, et de nouveau mes mains m'incitent à me couvrir. J'enfile mon pantalon et ma chemise, et je respire fort. Comme si j'étais drogué ou quelque chose dans ce genre. Comme si j'avais quelque chose dans le corps. Je regarde autour de moi, comme s'il pouvait rester une preuve quelconque d'hier au soir. Un miroir sur une table et une traînée de poudre, un mégot de joint. Quelque chose. N'importe quoi. Bien que je sache que nous n'étions même pas ivres, Tien et moi. Je sais qu'il n'y a eu rien d'autre dans cette pièce que le sentiment entre elle et moi. Qui n'est pas modifié par ce brusque état d'esprit. Je vois son pantalon en soie sur une chaise et ces mains qui ont voulu me couvrir frémissent à présent au souvenir de sa peau sur leurs paumes, elles sentent le frais passage de sa chair sur elles, maintenant. Mais quand même il y a quelque chose.

Je finis de m'habiller et sors de chez elle, en fermant la porte doucement, en m'y appuyant un instant, en m'émerveillant de tout ça. Et puis je longe le balcon extérieur, ça sent la sauce de poisson et le feu de bois, il y a un enchevêtrement de toits de tuiles rouges, de nattes en paille et de linge étendu, le gloussement des poulets quelque part au bout de la ruelle, et quand je passe devant une vieille accroupie près d'un escalier métallique en colimaçon, elle me fait un signe de tête et se fourre une feuille de bétel repliée dans la bouche.

Je descends l'escalier, sors dans la rue, je cherche le soleil, évite l'ombre. Je marche longtemps dans la rue au soleil, en le prenant droit sur le visage et sur les bras, en essayant de chasser cette impression en transpirant. Puis enfin je hèle un cyclo-pousse, le chauffeur demande où je veux aller et je ne sais pas. Je pense à mon hôtel, mais je ne veux pas de la chambre vide de nouveau, du lit vide, du ventilateur à pales tournant dans l'air humide, alors je dis : À l'hôtel Rex, qui se trouve près de la fontaine ronde à Le Loi et Nguyen Hue.

Je suis assis sur le siège à l'air libre du cyclo-pousse, le chauffeur hors de vue derrière moi, et il n'y a rien d'autre devant mes yeux que la rue pleine de Vietnamiens fonçant sur leurs motos, je me déplace comme en rêve, flottant dans cette rue qui ressemble exactement à ce qu'elle était il y a des années, en 1966. Il y a combien d'années de cela ? Je formule cette question exactement en ces termes dans ma tête, et je m'attends simplement à ce qu'elle soit le souffleur d'un petit calcul élémentaire — je me parle dans ma tête d'une façon un peu niaise — mais avec cette question vient une autre question qui m'étonne, elle est involontaire, elle provient d'une interrogation en cours qui est plus profonde, plus ténébreuse, et la question est : quel âge a Tien ? Pourquoi une question mène-t-elle à une autre ? Je me pose ce problème et ne veux pas de réponse, je me penche en avant, essaie simplement de flotter ici dans cette rue, comme dans un rêve charmant, oui, j'essaie de sentir les tamariniers qui se rejoignent au-dessus de ma tête, j'essaie de me laisser aller dans leurs ombres en sachant que je peux m'éveiller à tout moment, mais elle est sur ma peau, cette femme que j'aime, elle brûle en moi comme de l'encens, et la question s'insinue de nouveau, même s'il n'y a pas de passé à considérer, toutes les femmes que j'ai connues, aussi peu nombreuses soient-elles, se sont effacées, comme si elles n'avaient jamais existé, et elle a dit je t'aime à un homme trois fois dans sa vie et ce n'était qu'à moi, je suis cet homme. Sauf que le calcul mental est le suivant : vingt-huit ans. Elle peut être très près de cet âge-là, et vingt-huit ans ont passé depuis que j'étais dans ces mêmes rues, depuis que je suis entré dans un bar dans la rue même où Tien vivait autrefois avec sa mère, l'hôtesse de bar.

Sa mère, Huong. La femme que j'ai rencontrée et aimée s'appelait Kim. Peut-être l'amie de Huong. Peut-être y a-t-il eu ce merveilleux croisement des chemins. Peut-être que par une chaude après-midi je buvais dans le bar avec Kim et qu'elle s'est glissée au fond, dans la petite pièce derrière un rideau où était dressé un autel chargé d'encens et de fruits pour la femme à qui appartenait autrefois le bar, une femme tuée un soir dans cette rue par un soldat ivre, son portrait était au centre de l'autel — je me souviens d'elle maintenant, son visage sur une photo au milieu de l'autel — elle n'avait pas de famille pour prier pour elle, alors ses filles priaient pour elle, ma Kim et toutes les autres filles, et peut-être que par une chaude après-midi les filles se pelotonnaient dans les cabines et dans l'arrière-salle et faisaient la sieste, mais Kim était avec moi et donc elle restait éveillée, à boire avec moi, et elle est passée derrière le rideau et peut-être que Huong était là. Peut-être que j'ai suivi Kim et que devant moi il y avait cette autre hôtesse de bar, Huong, dont j'ai oublié le nom depuis longtemps, et peut-être que son corsage était ouvert et qu'un bébé tétait le sein de Huong, un nouveau-né, et peut-être que ce nouveau-né était Tien.

Je flotte à présent dans les ombres des tamariniers avec cette pensée. Des filles en *ao dai* blancs passent à toute vitesse sur leur moto, je ferme les yeux et je n'arrive pas à me rappeler qu'il soit arrivé quelque chose comme ça, le bébé en train de téter au sein de l'amie de Kim, mais ça aurait pu arriver. J'aurais pu me tenir devant la mère de Tien avec ma maîtresse l'hôtesse de bar et avoir vu Tien, le nouveau-né, téter un sein que j'aurais pu payer pour sucer, sans problème, si je n'avais pas été avec Kim. Et à cette pensée je ressens une délicieuse bouffée de culpabilité. Délicieuse, oui, délicieuse. Délicieuse de soulagement. Une chose comme ça, voilà ce qui me perturbait. Une chose comme ça. Je suis tellement plus âgé que Tien. J'ai été ce genre d'homme, qui a payé pour coucher avec une femme comme son genre de mère. Délicieuse culpabilité. Ce sont là mes péchés. Ceux-là seulement.

Je le croise dans la rue et il ne me voit pas. Je suis dans ma voiture Saigontourist avec M. Thu le chauffeur, sur le siège arrière il y a un homme et une femme qui sont un mari et une femme venus d'Allemagne. Ben est dans un *xich lo* et un très vieil homme le pousse en pédalant le long de la rue. Je le vois, je suis en train de raconter au couple allemand un truc ou un autre sur Hô Chi Minh-Ville et je m'arrête net de dire ce que je dis. Je me retourne pour voir mon Ben qui se penche en avant sur son siège, ses yeux sont fermés si bien qu'il ne me voit pas, le vieux porte un chapeau de paille et je commence à baisser ma vitre. Je me pencherais volontiers à moitié hors de la voiture pour appeler mon Ben, mais il a disparu trop vite, la vitre n'est même pas entièrement baissée. Je ris. Il avait l'air tellement adorable, les yeux fermés, et je devine que ses pensées étaient pour moi.

Je me tourne vers le couple allemand. Nous parlons anglais parce qu'ils le parlent bien et moi aussi, et que notre guide germanophone est parti avec un car entier venu de Berlin, je dis à l'homme et à la femme, qui ont peut-être cinquante ans : «Excusez-moi. J'ai vu quelqu'un que je connais qui passait.»

Ils hochent la tête et regardent par la fenêtre comme s'ils allaient reconnaître immédiatement de qui je parle.

«C'est un homme», dis-je, et l'Allemande se tourne vers moi et sourit.

J'ai envie de lui dire : Je sais ce que vous ressentez avec cet homme assis à côté de vous. Nous sommes des femmes, vous et moi, nous nous couchons avec un homme que nous aimons, nous ouvrons notre corps, nous aimons ces hommes avec certaines parties de nous qu'ils sont seuls à connaître et je pense qu'ils ne s'en doutent même pas.

J'ai envie de lui dire ces choses-là tandis que nous nous sourions, de femme à femme. Mais au lieu de ça je dis que dans les deux mille kilomètres carrés de Hô Chi Minh-Ville vivent plus de cinq millions de gens. Son sourire s'évanouit et elle me regarde d'un air pensif.

103

Maintenant son mari me regarde de nouveau, lui aussi. J'essaie de redevenir la guide touristique. Je pense à ces cinq millions de gens et je veux parler des grands progrès dans le domaine du logement et de l'emploi que notre gouvernement révolutionnaire accomplit, mais en fait je pense à la moitié de ces cinq millions qui sont des femmes et qu'elles doivent mourir d'envie d'avoir ce que j'ai maintenant, ce genre d'amour. Je regarde le visage de cette Allemande, elle et son mari sont assis avec un grand vide entre eux, chacun serré contre une fenêtre, et je ne les ai pas vus se toucher de la journée, bien que nous soyons allés au marché Ben Thanh, dans une pagode puis au Musée militaire où un homme et une femme qui s'aiment très fort penseraient certainement à se toucher, puisque le musée — j'ai honte de le dire mais c'est vrai — est très ennuyeux. Et je pense que personne dans cette ville, pas une seule des deux millions et demi de femmes d'ici, ni aucune des femmes d'Allemagne, d'ailleurs, n'a jamais ressenti ce que je ressens. Mais elles le veulent, elles veulent que les endroits secrets de leur corps soient aussi délicieusement endoloris que le mien par les attentions de l'amour, elles veulent que leur respiration se bloque comme la mienne, et que leur corps s'efforce de sauter par une fenêtre de voiture comme le mien à la vue de l'homme qui s'est étendu avec elles, même s'il disparaît dans l'instant et qu'il somnole ou qu'il rêve sous la garde d'un vieux au chapeau de paille. Qu'une chose aussi étrange et simple que celle-ci puisse apporter une telle joie, elles doivent toutes le vouloir et ne pas pouvoir l'avoir. C'est peut-être égoïste et réactionnaire de penser ainsi, mais en ce moment cela me semble vrai, sinon ces deux personnes sur le siège arrière seraient serrées l'une contre l'autre, et chaque femme dans la rue se précipiterait éperdue d'amour pour sauter dans les bras de l'homme qu'elle aime.

Mais, bien sûr, je ne fais rien de tel. Je ris de moi à cause de toutes ces réflexions. Le mari et la femme me regardent tous les deux en fronçant les sourcils.

« Excusez-moi », dis-je.

Pendant un moment je ne sais vraiment pas quoi faire de mon corps. Je suis planté devant l'hôtel Rex et je devrais faire quelque chose, je devrais me tourner d'un côté ou de l'autre, je devrais faire se mouvoir mes jambes, je devrais aller quelque part, dans l'hôtel, peut-être — je crois que je suis venu ici pour le bar sur le toit — ou partir dans une direction ou une autre le long de la rue, peut-être rentrer maintenant à mon hôtel. Mais je n'ai aucun élan. Rien. Je brûle d'envie que la nuit arrive pour retrouver le lit de Tien. C'est parfaitement clair. Mais tous les moments entre celui-ci dans la rue et celui-là, à des heures de là encore, sont inimaginables pour moi.

Et pourtant, je sais que les choses vont beaucoup mieux au fond de moi. C'est la raison exacte pour laquelle je ressens ce brusque vide. La chose qui grondait dans le noir au fond de moi est silencieuse, mais la culpabilité qui a pris sa place était un sentiment ancien qui s'est évanoui aussitôt. Je ne suis pas fier du tour qu'a pris ma vie. Je l'ai su il y a longtemps. Donc si Tien, de quelque bizarre façon, était présente dans le passé dont j'ai honte, alors ça va. Si elle l'était, elle était là comme un bref aperçu d'une pureté et d'une innocence qui un jour me reviendraient sous la forme d'une femme et feraient de moi un être complet.

Alors, ce matin-là au Viêt-nam, en 1994, planté sur le trottoir je pense : Voilà, ça doit vouloir dire que je suis pardonné. S'il y a une quelconque puissance supérieure dans l'univers qui ne se foute pas complètement de la culpabilité, de la honte, du pardon, alors certainement le fait que Tien et moi soyons réunis ainsi, que nous nous caressions ainsi et ressentions ce que nous ressentons — surtout si elle est l'enfant d'une hôtesse de bar, surtout si je l'ai vue l'espace d'un instant d'ignorance dans cette vie antérieure qui était la mienne — si une telle puissance existe, alors que tout cela arrive prouve certainement que j'ai été pardonné.

Voilà ce que je pense pendant quelques instants. Et puis je décide de rentrer à mon hôtel, de m'étendre et de penser à Tien jusqu'à ce qu'il soit temps de retourner vers elle. Alors je traverse la rue et m'engage sur la place devant le Rex. Un photographe s'avance en bondissant et me fait signe de me tourner afin que l'Hôtel de Ville et la statue d'Hô Chi Minh se trouvent derrière moi, je l'écarte d'un geste de la main. Une fille avec des poignées de cartes postales prend sa place, me suivant pas à pas tandis qu'à présent je m'avance en direction de la fontaine sur le rond-point, et je l'écarte d'un geste elle aussi. Et puis le petit bonhomme à la moustache se trouve à côté de moi, je reconnais le maquereau sur la moto et il me parle à voix basse.

«Tu veux gentille fille Viêt-nam? Boum-boum toute la journée toute la nuit? demande-t-il.

— Non», dis-je et il ne tourne pas les talons, il continue à me suivre et je me demande ce que j'ai en moi pour qu'il refuse de me croire.

«Elle très gentille. Elle faire n'importe quoi pour toi.

— Non», dis-je de nouveau, et j'essaie qu'il soit plus tranchant mais je ne suis pas sûr qu'il le soit, je sais qu'il n'y a pas de désir pour une autre femme, un vague frisson me parcourt à l'idée de caresser toute autre femme que Tien à présent, et ça me rend heureux, mais ce bonheur se meut aussitôt en une chose obscure et je sais que j'ai trop pensé aux hôtesses de bar, voilà ce qui se passe,

106

ça se rattache à tout ça et je veux filer loin de cet homme mais je suis incapable de faire aller mes jambes plus vite.

« La voilà », dit-il, je regarde et nous avançons vers la moto garée le long du trottoir, la fille est là, perchée à l'arrière de la selle, elle est très jeune et ses cheveux qui étaient roulés et relevés quand je l'avais vue sont défaits maintenant, ils tombent, longs et sombres, sur son épaule et sur son sein. Elle me lance un regard franc, en me fixant droit dans les yeux.

Je m'arrête. S'il y a un moment dans un corps qui est l'opposé du désir sexuel, voilà ce qui est en train de m'arriver maintenant, c'est comme de conduire dans le brouillard sans oser s'arrêter sur le bas-côté parce qu'on sait que quelqu'un va vous rentrer dedans par-derrière, sans même y voir suffisamment pour trouver une bre-telle de sortie, en sachant qu'on ne peut que continuer et que quelque chose nous attend là-dehors qu'on ne verra pas avant de le percuter brutalement, alors le corps se comprime un maximum pour se faire tout petit et ça se sent surtout dans la queue et dans les couilles, ils se rétractent et se resserrent fort, et c'est comme ça, de voir cette femme qui attend que je l'emmène dans un lit sans amour.

« Elle ma sœur, dit l'homme à la moustache. Elle une vierge. Toi lui dire bonjour. Son nom Kim. »

Je me tourne vers lui. « Kim ? » Je ne sais pas ce qu'il y a dans ma voix mais le type tressaille.

« Ben oui », dit-il, mais c'est doux, un enfant pris en train de mentir. « Toi pas aimer nom Kim ? »

Ce qui a surpris l'homme dans ma voix est à présent en train de se démener en moi. Je me contracte. Une forme dans le brouillard devant. Je commence à me détourner et voilà sa main sur mon bras.

« Attends, dit-il. Elle pas Kim. Ce nom les Américains aimer, alors on dit elle son nom Kim. »

Je m'arrête. Il penche la tête vers l'avant en essayant de me regarder dans les yeux. Il rit d'un petit rire qui est plein de quelque chose qui ressemble à du respect.

« Toi connaître déjà. Toi connaître Viêt-nam. Je vois toi ancien G.I. malin. Son nom Ngoc. Américains aimer Kim mieux. »

J'ai envie de lui dire de la fermer. Je ne le regarde pas, mon visage détourné ne fait que le pousser à en dire plus. Je force mes yeux à se poser sur lui, et quand je le fais avec un large sourire, il me flanque une tape sur le bras.

« Toi malin, dit-il. Toutes les filles bon temps Viêt-nam nom Kim. »

Maintenant elle est près de moi. « Mon nom Ngoc, dit-elle. Je fais pour toi spécial. »

Il est dix minutes avant six heures, je sors de la voiture et je dis au revoir à M. Thu par-dessus mon épaule. Je pense à mon cœur, comme je le sens qui se rue en moi. Je regarde vers la petite table où j'ai vu Ben la première fois, des hommes du Viêt-nam sont là à boire des bières, et puis me voilà dans l'ombre de la ruelle qui mène chez moi.

Je monte l'escalier en fer, je passe devant des femmes accroupies qui jouent aux cartes chinoises. Je dis bonjour à ces femmes chaque soir mais je ne dis rien maintenant. J'en suis désolée, mais Ben m'a remplie, il a pressé et fait sortir tous mes mots et il presse aussi ma poitrine, rendant ma respiration difficile, et j'aime cette sensation.

Ma porte n'est pas fermée à clé, c'est comme ça que je la laisse toujours, je le lui ai dit juste la nuit dernière, alors quand je pousse la porte je suis prête à être dans ses bras. Mais il n'est pas là. Je m'arrête. Je me tiens au milieu de la pièce. Je regarde autour de moi. Les draps sont rejetés. Comme s'il venait de se lever il y a seulement quelques instants et qu'il était allé à la cuisine ou à la salle de bains. Je vais à la porte de la cuisine et la pièce est vide. L'eau goutte du robinet dans ma casserole métallique. Le son est très fort. Il n'y a pas d'autre son. Je m'avance vers la porte de la salle de bains et je sais déjà qu'il n'est pas là. La porte est ouverte et ça se voit nettement. Je repars vers le milieu de la pièce où je vis et je regarde l'autel des ancêtres. L'encens est froid. Les fruits noircissent. Pas de visage là non plus. Un coq chante quelque part dehors dans la ruelle, loin. Il n'aime pas la façon dont la lumière s'en va du ciel.

J'essaie de ne pas penser à mon père. Je me dis : Ben n'est pas parti pour toujours. Ce n'est pas juste de penser à mon père à cause de lui. D'abord, Ben va monter l'escalier, longer le balcon et passer la porte d'un moment à l'autre. Et puis aussi, mon père est mort. Il ne m'a pas quittée pour toujours sans une autre pensée, il est simplement mort. Et peut-être que son esprit ne m'a pas quittée du tout. Peut-être que je l'ai attiré ici avec mes prières il y a longtemps, et que toutes ces années il m'a été très reconnaissant de l'avoir soutenu dans l'au-delà, comme nous sommes censés le faire pour nos ancêtres morts, il a versé des larmes de fantôme parce qu'il ne pouvait pas revenir au Viêt-nam en tant qu'homme, en tant que père, et trouver sa fille. Voilà ce qui se bouscule en moi pendant que je suis là debout. Des pensées comme celles-ci.

Mais je crains qu'il n'y ait davantage. Mon visage et mes mains sont glacés maintenant. Mon cœur bat toujours, mais pour une raison nouvelle. Je me tiens à mi-chemin du lit vide et de l'autel vide, et les battements de mon cœur sont comme des cailloux qui s'entassent, remplissant ma poitrine et montant maintenant jusque dans ma gorge. Je dois bouger de cet endroit où je me tiens. Ça je le sais.

Je fais pivoter mon corps. Il est très lourd. Je le pousse et je suis en train d'avancer vers la salle de bains. J'entre, je tire sur la chaînette et une lumière tombe de l'ampoule nue dans la pièce, une lumière comme ces nuits, tard, quand j'étais couchée dans le lit de ma mère, qu'elle se levait, allait dans la salle de bains et que j'étais réveillée — dès qu'elle se levait et me laissait seule, je me réveillais —, elle entrait et refermait la porte de la salle de bains juste à demi, elle allumait la lumière et il n'y avait que le silence pendant un temps infini et je ne sais pas ce qu'elle faisait.

J'élève les mains jusqu'aux boutons de mon corsage et je commence à les défaire. C'est agréable. Mes mains se dépêchent maintenant. J'ôte mon corsage et le jette à mes pieds, je dégrafe mon soutien-gorge, il tombe et cette brusque nudité éveille mes mamelons. Je pense que cela va lui faire passer la porte. J'ôte mes souliers et descends la fermeture Éclair de ma jupe, je plonge profondément mes pouces dans ces couches diurnes de ma personne et je tire sur ma jupe, mon collant et mes sous-vêtements, tout ensemble, quittant rapidement les bouts de pied qui s'accrochent, et je suis nue maintenant, complètement nue, mes lèvres secrètes font la moue pour lui, je lève les mains vers mes cheveux et retire des épingles à cheveux, les jette par terre, mes doigts tremblant jusqu'à ce que mes cheveux tombent en cascade sur mes épaules et dans mon dos.

Je tends l'oreille pour entendre la porte. Il y a des motos loin dans la rue et le rire des femmes qui jouent aux cartes, j'écoute l'endroit qui est devant ces bruits, j'attends d'entendre la porte. Mais il n'y a rien. Sauf, maintenant, un enfant qui pleure quelque part pas loin, qui passe, juste dehors, et puis l'enfant a disparu et maintenant les femmes sont silencieuses, il n'y a que les motos. Mais la porte ne s'ouvre pas. Et ce n'est pas grave, parce que je ne suis pas propre. C'est bien que Ben soit en retard. Voilà ce que je me dis.

Je fais couler de l'eau dans mon baquet en plastique, je m'accroupis à côté et je prends mon éponge, je la savonne avec le savon qui dit qu'il est 99, 44 pour cent pur. Je suis loin d'être aussi pure que ça maintenant. Mais ça ne me gêne pas de le penser. Il y a un autre genre de pureté possible, je me dis. Une pureté qui arrive quand il me remplit avec la partie de son corps que je n'ai pas encore regardée. Je regarderai cette partie ce soir. Je frotte le savon sous mes bras, autour de mes seins, descends vers l'endroit de mon corps qu'il est le seul à toucher. Je me lave et me rince avec de l'eau fraîche et je me relève et me sèche en me tapotant avec ma serviette. Il aurait cette douceur-là s'il était ici pour me sécher. Je me touche avec la serviette exactement comme le ferait Ben.

Ensuite j'attrape mon peignoir en soie qui pend à l'arrière de la porte, mais mes mains hésitent et retombent. Je me rends compte que j'aime être nue. Il sera content de me trouver nue quand il franchira la porte.

J'entre dans la chambre. Je n'ai pas fait mes prières. Je pense à prendre ce peignoir maintenant et à faire cette chose pour mon père. Mais je ne le fais pas. Je veux rester nue. Mes yeux s'emplissent de larmes, et cela étonne la partie de moi qui essaie de comprendre tout ça. Je sais que je veux que Ben se dépêche à présent. Je sais que j'ai peur qu'il ne vienne pas. J'ai peur qu'il soit monté dans un avion et reparti de l'autre côté de la mer, qu'il m'oublie, et moi j'attendrai nue dans cette chambre toute la nuit et toute la journée de demain, et le lendemain d'après et celui d'après, jusqu'à ce qu'on me trouve morte ici comme ça. S'il y a quelque chose d'autre dans ces larmes, ou dans ce tremblement qui voudrait commencer dans mes mains, je ne suis pas prête à y réfléchir. C'est qu'il est assez sûr maintenant que j'ai peur que Ben m'ait quittée.

Je pourrais simplement allumer l'encens. Il mérite de ne pas avoir à attendre. Je m'avance vers l'autel et puis je m'arrête, mon visage devient brûlant et mes mains retombent pour me couvrir, le tremblement a commencé en elles et c'est parce que je pense qu'il peut me voir comme ça. Mon père. J'ai été nue dans cette pièce déjà bien des fois, évidemment, et il ne m'est jamais venu à l'idée qu'il était là. Mais je le savais certainement. Je priais, ma nudité couverte, mais à peine, par mon peignoir en soie, je libérais la fumée de l'encens comme une maîtresse libère ses cheveux, et je terminais, quittais l'endroit où j'étais agenouillée et me détournais, et bien des fois je laissais aussitôt tomber le peignoir à mes pieds. Il fait souvent très chaud dans cette pièce, et l'air est épaissi par la pluie qui est morte, s'est transformée en esprit et a rempli l'air de façon invisible, comme mon père. À ces moments-là mes paroles s'étaient à peine effacées de la pièce — il était encore ici où je l'avais invoqué — et j'exposais mon corps nu de femme, alors c'était pour lui. Je me précipite dans la salle de bains, je ferme la porte et je m'y appuie. Est-ce que j'y crois vraiment ? Mon père a-t-il vécu avec moi toutes ces années, à me regarder ? M'a-t-il vue caresser Ben hier soir ? A-t-il vu ma nudité à l'instant ?

« Va-t'en », dis-je, à haute voix. Gentiment. Je ne veux pas le vexer. « S'il te plaît, dis-je. Je veux un homme vivant. »

J'attends de voir s'il va s'en aller. Je n'en sais trop rien.

Et puis j'entends Ben qui entre, le loquet qui se soulève, les gonds qui grincent.

Je pivote, j'ouvre cette porte-ci à la volée et Ben est là. Je n'ai plus honte de ma nudité. À cause de lui. Il m'a ôté toute honte là-dessus. Il est pris au piège, la porte qui se referme derrière lui, sa main encore sur le loquet, son visage qui se tourne maintenant avec ma brusque apparition. Il se redresse et me fait face. Ses yeux sont écarquillés et tristes. Je m'avance rapidement vers lui, j'ouvre les bras et je bondis pour qu'il m'attrape et me serre fort contre lui, en sachant qu'il va le faire, et c'est ce qu'il fait, ses bras se croisent dans mon dos et me pressent fort contre lui tandis que mes jambes passent autour de sa taille.

« Ça alors », dit-il.

Je pense qu'il dit ces mots parce qu'il est tellement content que je sois comme ça dans ses bras. Je veux qu'il me porte dans la pièce, qu'il tournoie et danse avec moi, en me tenant en l'air. Mais il ne bouge pas. Il me tient serrée contre lui et il respire péniblement, je le sens, je pose mon visage sur le côté de sa gorge, j'attends et je sens son cœur, il bat très fort. Je tire sur sa chemise, la sors de son pantalon, si bien que la partie de moi que seulement lui connaît peut embrasser sa peau. Le tissu se froisse sur moi, un bouton me touche comme le bout d'un doigt et s'en va, et puis il y a le tapis de poils sur son ventre contre moi, et dans tout ceci je suis comme une femme que je n'ai jamais su que je pourrais être, une femme tellement libre comme ça avec son corps. Je sais très bien qu'avec ce sentiment je suis contre-révolutionnaire, mon pays aurait honte de moi. Mais ça m'est égal. Je suis libre, je suis perchée haut dans un arbre et je n'ai plus qu'un bond à faire pour voler, et c'est à cause de lui. Et c'est une chose étrange et contradictoire : accrochée à lui, je sens que je peux voler ; entièrement dévouée à lui, je me sens libre.

« Je t'aime, dis-je.

113

— Tu es une femme », dit-il, très doucement.

Je sais aussitôt ce qu'il veut dire. Je le lâche avec mes jambes et descends pour me tenir sur mes pieds. Il a raison, et il est l'homme que j'aime pour me dire cette chose-là. Je veux marcher à côté de lui jusqu'au lit. Au Viêt-nam nous avons une société où les hommes et les femmes partagent le travail à égalité et ils devraient partager leur lit à égalité, je suis étonnée que cet homme élevé depuis son enfance par un gouvernement impérialiste puisse le savoir. Ça me donne envie de sauter de nouveau sur lui.

« J'aime ton sourire », dit-il, en caressant ma joue du bout de ses doigts. Ce serait difficile d'expliquer de quoi je souriais à l'instant, alors je tourne simplement la tête et embrasse le bout des doigts qui m'ont caressée, et puis je prends cette main dans la mienne, je l'amène sur mon flanc et je tire Ben pour que nous traversions la pièce ensemble vers l'endroit où nous allons faire l'amour.

Il cède, il bouge, mais il paraît très lourd. Nous allons vers le lit et il m'arrête avant que nous nous allongions, il m'attire vers lui et il me serre contre lui. Il y a quelque chose en lui, un sentiment que je ne comprends pas. Une chose vive et sombre fonce dans ma tête, et je dis : « Est-ce seulement mon sourire ? »

Je sens sa tête bouger. Il me regarde, il essaie de voir dans mes yeux, mais je garde le visage contre sa poitrine. Je veux d'abord la réponse à cette question. Puis je me rends compte qu'il ne comprend pas ce que je veux dire. Toujours sans le regarder, je demande : « Est-ce seulement mon sourire que tu aimes ?

— Non.

— Je suis désolée de demander ça. Je suis encore une fille égoïste.

— Ce n'est pas égoïste. Je croyais que nous avions résolu ça hier soir.

— Et maintenant je suis de nouveau désolée. Je devrais dire que je suis une *femme* égoïste. Nous avons résolu ça il y a tout juste une minute. »

Il me tient avec douceur loin de lui et nous nous regardons dans les yeux. J'ai très envie que nous fassions l'amour maintenant.

Je le lâche et me pelotonne au fond du lit, un peu relevée avec l'oreiller contre le mur, il se laisse glisser à côté de moi. Mais il ne s'allonge pas à côté de moi, il ne me caresse pas, il s'assoit là comme s'il attendait qu'il se passe quelque chose, qu'on dise quelque chose. J'attends aussi. La lumière descend dans la pièce.

Ensuite, quand les motos dans la rue emplissent ma tête comme mes propres peurs, tournant sans relâche à toute vitesse autour du pâté de maisons avec un bruit désagréable sans aller nulle part, je dis : « J'ai servi de guide à un mari et une femme d'Allemagne aujourd'hui. Je ne crois pas qu'ils s'aiment. »

Et il dit, à voix très basse : « Je peux te poser quelques questions ? »

Je dis : « Vite. S'il te plaît.

— Quel âge as-tu ?

— Vingt-six ans. »

Il lève le menton un tout petit peu, en réfléchissant à quelque chose.

Brusquement je crois que je comprends. Je dis : « Tu n'es pas trop vieux. Les filles du Viêt-nam respectent un homme plus vieux. »

Il se tourne vers moi.

« Plus que ça, dis-je. Une fille du Viêt-nam peut respecter un homme plus vieux et elle peut aussi éprouver de la passion pour lui.

— Je croirais encore entendre ma mère. À la façon dont tu t'expliques.

— Comme ça aussi ça va. Pense que j'ai quarante-six ans. »

Il sourit. « Non. Je suis trop vieux. C'est exact. Trop d'années ont passé. »

Je ne comprends pas, de nouveau.

« Nous sommes en 1994, dit-il. J'étais ici en 1966. Tu ne vois pas ? Ça fait vingt-huit ans.

— Oui ?

— Tu as vingt-six ans. »

Je suis perdue. Je me concentre sur ces chiffres qui paraissent tellement importants pour lui et il y a un sifflement dans ma tête, un petit son venu d'un coin sombre en moi, mais j'essaie de ne penser qu'aux chiffres. Je dis : « J'ai presque vingt-sept ans. »

Il y a un petit tressaillement en lui, une brusque pause. « Vingt-sept ans ? Oui ? Ça va. Ça va toujours.

— Ça va ? dis-je. Nous avons moins de différence d'âge. Ça aussi c'est bien, non ?

— C'est quand ton anniversaire ?

— Le 15 mai.

— Mai ? Le mois prochain ?

— Oui.

— Écoute, dit-il, presque sèchement. Ça va. Vraiment.

— Je sais.

— J'étais ici en 1966. » Puis il hésite. « Je suis arrivé en février. Je suis parti au bout d'un an. Nous étions en 1967. »

J'attends. Il réfléchit profondément de nouveau. Je ne réfléchis pas du tout. Je ne me sens pas à l'aise avec les chiffres. Le sifflement a cessé. Puis il se tourne vers moi brusquement.

« Tien, dit-il. Raconte-moi, s'il te plaît, comment tu sais que ton père est mort.

116

— Ma mère me l'a dit. Quand elle m'a laissée avec ma grand-mère.

— Ta mère te l'a dit.

— Oui. Elle ne voulait pas, je crois. Mais ma grand-mère l'a forcée.

— Elle ne voulait pas. Bien. C'est bien.

— Pourquoi est-ce que c'est bien ?

— Ta grand-mère savait qu'il était mort ?

— Oui.

— Est-ce qu'elle en parlait, elle aussi ? »

J'essaie de réfléchir. « Je n'arrive pas à me souvenir. Je ne crois pas.

— Alors tu ne sais pas ce que savait ta grand-mère. Était-elle là quand ta mère te l'a dit ?

— Non.

— Ta mère aurait pu mentir.

— Nous en avons parlé hier soir.

— Excuse-moi », dit-il.

Je pose une main sur son épaule. « C'est ça qui te tracasse ?

— Oui.

— Pourquoi ? » je lui demande et pendant un instant c'est encore comme si je ne connaissais pas la réponse. Pendant que nous nous sommes dit toutes ces paroles sur le lit, j'ai fait l'idiote vis-à-vis de moi-même. Maintenant il fixe simplement son regard sur moi et je sais. Ses yeux marron sont comme les miens. Je suis glacée. Quelque chose dégringole en moi. Je me penche en avant, ma tête descend, je me cogne contre sa poitrine, mon front, là, et je m'écarte aussitôt. Brusquement je ne peux pas le toucher, et ce n'est pas quelque chose avec quoi je peux vivre, je le sais aussitôt, le sifflement est revenu et il emplit mes poumons, ce son, et je ne peux pas respirer.

« Quoi ? dit-il. Est-ce que tu sais quelque chose ? »

117

Je ne sais rien. Je me crie, c'est *sa* peur. Ça ne peut pas être vrai. Ce n'est pas vrai.

« Qu'y a-t-il ? » demande-t-il.

Je peux à peine articuler maintenant. « Dis-moi ce qui te tourmente. Maintenant. S'il te plaît. J'ai une idée. Une chose horrible. Dis-moi. »

Dieu me pardonne, tout ce que j'ai envie de faire c'est de mettre ces trucs de côté et de la caresser. J'aurais dû le faire dès l'instant où j'ai franchi la porte. C'est une femme. Elle n'est pas mon enfant. Elle n'est l'enfant de personne.

Mais peut-être qu'aucun pardon n'est nécessaire. Je n'ai pas précisément calculé les mois, mais ça ne colle pas. L'époque ne colle pas. Et comment pourrions-nous nous rencontrer comme ça ? Comment pourrions-nous éprouver ce sentiment si c'était vrai ? Mais elle mérite de connaître ma crainte. Pour le bien de tout l'amour que je ressens pour elle, je ne peux pas lui cacher un tel secret, même si c'est une idiotie, aussi irréelle qu'un rêve dont je me réveillerais sur la route, alors que je dors dans mon bahut sur une aire de repos au milieu d'une quelconque nuit obscure, je me réveille et je n'arrive même pas à me rappeler ce qui, il y a quelques secondes, faisait battre mon cœur de cette façon et a fait sortir ce cri de ma bouche, mais il n'y a que l'odeur de la terre et du foin, le vinyle de la cabine du camion, le cliquètement du métal et une brusque bouffée d'air d'un semi-remorque qui passe en essayant de rattraper le temps perdu. Il ne restait jamais rien d'une crainte de ce genre, une fois que je m'étais assis et que j'avais secoué la tête. Il n'en faudra pas plus maintenant.

Je dis : « Quand j'étais ici pendant la guerre, j'étais… avec une femme.

« — Avec elle ? Tu veux dire que tu couchais avec une Vietnamienne ?

— Oui.

— C'était une hôtesse de bar, cette femme ?

— Oui. »

Tien tire le drap sur elle. Je n'ai pas regardé son corps. Pas avant de pouvoir mettre cette chose-là de côté pour de bon. Mais je regrette son geste maintenant. Il me tarde d'en finir avec tout ça.

« C'était il y a longtemps, dis-je. Je t'en prie.

— Avant ma naissance.

— Oui. Un an avant. Plus que ça.

— Plus qu'un an ?

— Oui.

— Alors… Oh, Ben, je suis une idiote. »

Elle rejette le drap et m'enlace. Je la tiens contre moi. Je pose mes mains sur la nudité de son dos.

Elle dit : « Je pense à une chose terrible.

— C'est ce à quoi je pensais. »

Elle s'écarte, me regarde. « Comment est-ce possible ?

— Ça ne l'est pas. Je ne pense pas. Je ne suis pas certain de l'époque. Devrions-nous prendre le temps de calculer soigneusement ?

— Pourquoi penserais-tu à ça ? Il y avait beaucoup d'hôtesses de bar pour l'armée impérialiste américaine dans cette ville.

— Je t'en prie. »

Elle pose sa main sur sa bouche. « Désolée.

— Ça va. »

Elle baisse la tête. « Cette fois-ci ce n'était pas l'État qui parlait.

— Non ?

— C'était ma jalousie.

— Tien. Écoute-moi. Ce qu'il y a entre nous… Je ne

l'ai jamais ressenti. Pas pour une hôtesse de bar. Même pas pour ma femme.

— C'est vrai ?

— Oui, ma chérie. »

Elle se dresse sur les genoux. Ses mamelons passent devant mes yeux, sombres dans la lumière déclinante, et ils m'excitent aussitôt. Je meurs d'envie d'y porter mes lèvres. Et maintenant, si je baisse le moins du monde les yeux, j'aperçois son endroit le plus doux. Je suis tout près de faire ce que j'aurais dû faire dès l'instant où je suis entré dans cette pièce ce soir.

Elle dit : « Des mains peuvent se ressembler. Il n'y a qu'un certain nombre de mains.

— Oui, dis-je.

— Et tellement de filles. Tellement. Pour qu'elle soit la même, la fille qui était ma mère, la fille qui était… Qu'est-ce qu'elle était pour toi ? C'était une fille d'un soir ?

— Non.

— Deux ? Trois ? »

Je sens sa voix qui se crispe. « Je t'en prie. Je vais encore redevenir le méchant pouvoir impérialiste.

— Désolée. » Elle se laisse tomber de nouveau pour s'asseoir sur le lit, mais elle ne tire pas le drap sur elle. Je me surprends à essayer de garder une fois de plus les yeux sur son visage. Elle dit : « Est-ce que tu l'aimais ?

— Je le croyais.

— Est-ce qu'elle est tombée enceinte ?

— Pas que je sache. Non.

— Alors je ne peux pas être… ce que tu craignais.

— Non.

— S'il te plaît, dit-elle. Est-ce qu'on peut faire l'amour maintenant ? »

Mes mains s'avancent vers les siennes, les saisissent. Mais je me souviens de nos doigts posés côte à côte hier soir, les lunules se faisant écho, encore et encore. Kim était-elle enceinte ? « Je veux être tout à fait honnête », dis-je, en essayant de me souvenir quand Kim et moi nous sommes séparés. « Je ne sais pas si elle était enceinte. Je l'ai rencontrée quelque temps après être arrivé ici. Peut-être en mai. Quand j'ai quitté le Viêt-nam, je ne l'avais pas vue depuis quelques mois. Alors... je ne sais pas.

— Tu l'as rencontrée en mai ?

— Oui.

— Mai 1966 ?

— Oui.

— Alors ça ne faisait pas plus d'un an.

— Quoi donc ?

— Avant ma naissance. Quand tu as couché avec cette hôtesse de bar. »

La dérouillée commence. Une chose physique, dans ma poitrine, dans ma gorge. Un truc dans ma tête, aussi, maintenant que le calcul m'a trahi. Les deux années entre Tien et Kim se sont envolées.

« Je sais, dit Tien. Tu m'as demandé son nom hier soir, à ma mère. Moi je t'ai dit son nom. C'est bien une chose simple ? Est-ce que cette fille avec qui tu couchais s'appelait Huong ? »

Et j'en suis de nouveau là. Le truc qui m'a presque rendu fou cet après-midi. Je dis : « Elle se faisait appeler Kim », et je regarde Tien attentivement. Son visage s'adoucit aussitôt. Elle sourit.

Elle dit : « Tu vois ? Cette crainte ne tient pas. »

J'ai une autre chance, une autre chance claire et nette de continuer pour le restant de mes jours à aimer cette femme assise nue ici devant moi.

Et puis elle commence à expliquer ses paroles, pour exclure la plus petite fausse impression. « Je n'ai pas l'intention de critiquer ta vie, dit-elle. Tu étais ici en tant que membre… Tu vois ? Je vais me remettre à parler des puissances impérialistes. Quand tu étais ici en 1966, tu étais un jeune homme, un homme seul, un homme effrayé. Je suis contente que tu aies eu une belle fille du Viêt-nam à serrer contre toi. Ça t'a préparé pour moi ? Oui ? » Elle a un petit rire, et j'ai déjà des problèmes. J'entends chez elle la façon d'être de ma mère et je hurle dans ma tête : Ceci n'est pas génétique, un truc dans ce genre, c'est une chose apprise. Mais alors elle rit, lève le visage et tout à coup j'y vois aussi quelque chose, je ne sais pas trop quoi, quelque chose autour de sa bouche, de son menton, quelque chose. Je détourne brutalement la tête.

Je sens sa main sur mon épaule. Elle dit : « Je ne ris pas de toi.

— Je sais », dis-je, en remuant l'épaule juste un petit peu, en essayant d'en faire un petit geste doux, quand il veut être large, quand je veux brusquement bondir et me jeter par cette fenêtre. Pourquoi ? Pourquoi ? C'est mon imagination maintenant, me dis-je. Il n'y a rien dans son visage. La façon dont elle s'explique ne peut pas venir de son sang. Mais je dis quand même : « Est-ce qu'on a jamais appelé ta mère autrement ? Autour du bar ?

— Je n'allais pas autour du bar.

— Tu n'as jamais entendu un homme l'appeler…

— Non.

— Si je te disais que la moitié des hôtesses de bar de Saigon se faisaient appeler Kim par les hommes qu'elles…

— Je te dirais de te taire maintenant. La moitié des hôtesses de bar de Saigon ça faisait quand même vingt-cinq mille hôtesses de bar. Le nom de ma mère est Huong. Elle s'appelle Huong. »

Je pleure maintenant. Je dis : « Elle serre un G.I. américain dans ses bras et lui donne le sentiment qu'il n'est pas sur le point de mourir, lui donne le sentiment qu'il n'est pas seul au monde. Ça va, ça ne fait pas d'elle un ennemi de l'État, c'est une femme qui peut aimer un homme sans se tracasser, qui peut lui offrir quelque chose qui vaut un million de fois plus que les quelques dollars qu'il lui donne parce qu'il la désire et qu'il a besoin d'elle, et qui font qu'elle peut nourrir son enfant et sa mère. »

Ben me prend dans ses bras. Il se dresse sur les genoux et il me soulève, nue. Ces paroles m'ont étonnée. La sensation dans mon corps m'étonne aussi. Je comprends. La façon dont mon corps se sent ouvert en grand : cette partie secrète de moi bien sûr, mais aussi le reste — mes mamelons, un endroit au milieu de ma poitrine, les paumes de mes mains, les plantes de mes pieds —, il y a cette ouverture béante en moi, un endroit affamé, je veux attirer Ben en moi comme ces étoiles noires dont on parle, les étoiles qu'on ne peut même pas voir dans les télescopes parce qu'elles brûlent en noir et qu'elles veulent attirer en elles tout le reste de l'univers. Soudain je comprends ma mère, je crois, un petit peu, ce qu'elle a pu ressentir avec un homme. Je comprends les hommes, aussi, les meilleurs d'entre eux, ceux qui sont comme Ben.

Il dit : « Ça fait quand même un risque sur vingt-cinq mille, non ?

— Ce n'est pas un risque », et dès que je le dis je n'y crois pas. Dès que je le dis je m'embrase et toute force m'abandonne, je m'appuie sur lui, mes larmes coulent, et bien que je me sente toute faible ma poitrine commence à se soulever et je m'entends sangloter.

« Tien, dit-il. Ma chérie. » Il me serre contre lui et j'ai tellement envie de sa nudité sur moi, mais maintenant j'en ai peur, aussi. Et puis je sais brusquement ce qui se passe dans cette pièce. C'est le fantôme de mon père. C'est un homme jaloux. Il a enroulé la fumée invisible de son âme autour de nous, nous forçant à le respirer, et il s'est insinué dans notre tête, nous a emplis de ces craintes pour nous séparer.

Je m'agrippe à ces sanglots, les renfonce dans ma gorge, je me durcis maintenant. Je ne lui montrerai pas mes larmes. C'est fini. J'ai pleuré pour lui pendant des années. Je me suis agenouillée devant son autel et j'ai prié pour son âme, j'ai brûlé de l'encens, lui ai offert de la nourriture et un endroit où son âme puisse reposer pour qu'elle n'erre pas au pays des morts dans la solitude et l'effroi. J'ai été une hôtesse de bar pour lui. Je n'ai pas offert mon corps mais j'ai offert tout le reste. Plus que mon corps. C'était un G.I. américain, il était dans un lieu étranger, je l'ai tenu tout contre moi avec mes prières et ma fumée, et j'ai dit : N'aie pas peur, ne sois pas seul. Et voilà comment il me récompense.

Mes yeux sont secs. Je lève mon visage vers Ben. Je ne tiendrai plus que cet homme-là dans mes bras. Mes mains s'avancent vers les boutons de sa chemise et je chuchote à Ben, sans parler : Ne m'arrête pas, je t'en prie mon chéri, écarte ces peurs, elles viennent de mon père qui nous parle, mon vrai père qui ne supporte pas de me laisser aller vers un autre homme, je t'en prie mon chéri, laisse-moi te caresser maintenant.

Et Ben ne m'arrête pas. Je m'appuie sur lui en tirant sur les manches de sa chemise, en le serrant dans mes bras et en ôtant sa chemise dans le même mouvement. Dans ma tête je parle maintenant à mon père : Regarde. Regarde ce que je fais. Regarde ma nudité et la nudité de mon amant. Tu dois l'accepter ou je ne dirai plus un seul autre mot aux dieux pour toi.

Je sens le drap sur mes chevilles et mes pieds, et je le

repousse d'une saccade. Je ne veux pas qu'une seule partie de mon corps soit couverte. Ça m'est égal si mon père regarde. Je lui montrerai toute ma nudité et il saura qu'elle n'est pas pour lui mais pour cet homme que j'aime. Je me ramasse sur moi-même et je suis en train de tirer sur la ceinture du pantalon de Ben. Mes mains tremblent. La ceinture refuse de céder. Les mains de Ben descendent et couvrent les miennes, me retiennent un instant, et j'ai peur qu'il arrête tout de nouveau. Je dis : « S'il te plaît. »

Ses mains hésitent. Puis il écarte les miennes et défait la ceinture et puis le bouton de son pantalon, la fermeture Éclair descend et mes mains aident les siennes, mes pouces s'accrochent dans son slip et je suis en train de l'aider à retirer tout ça d'un seul coup. Je sens sa nudité, aperçois d'un tout petit regard oblique ce qui pend là. Mais je ne regarde pas. Pas encore. Il tourne le dos et se penche, il ôte ses chaussettes, il est nu et je m'étends sur le lit, il vient sur moi, je pose mes mains sur son dos nu et j'attire tout son poids sur moi, en embrassant sa bouche, en voulant que sa bouche cède, me donne cette ouverture en lui. Mais ses lèvres restent closes. Elles sont gentilles avec moi. Elles sont douces. Elles m'embrassent sur les lèvres, sur la joue, mais elles restent closes. Et puis son visage vient sur le côté du mien, son corps se déplace et descend du haut du mien. Je m'agrippe à lui. Je ne le laisserai pas se détacher de moi. Il ne le fait pas. Il s'arrête. Mais ses bras continuent à m'entourer. Son corps se colle contre mon flanc. Son visage vient contre ma gorge, s'y enfouit. Je le serre dans mes bras. Je respire très fort. Ma gorge est serrée.

Je regarde vers le plafond de ma chambre. J'y cherche un visage que je n'ai jamais vu. Je crois que je pourrais peut-être le voir maintenant. Je veux lui parler tout fort. Mais je ne peux pas expliquer ça à Ben. Pourtant, je n'ai pas besoin de prononcer les mots pour que mon père les entende. S'il est dans ma tête à me donner ces craintes, et dans la tête de Ben, alors il peut m'entendre comme ça et je lui dis : Va-t'en. Va-t'en maintenant et ne reviens jamais. Va retrouver la femme que tu aimais. Sois avec elle. Elle est vivante quelque part. Va chez elle et vis de ses prières pendant un moment.

Je remue la main. Je n'ai pas encore vu cette partie de Ben. J'attendrai jusqu'à ce que le temps ne soit qu'à nous deux. Mais je remue la main. J'espère que mon père regarde. Je devrais éprouver de la honte, mais non. Je remue la main, je tends le bras et je pose ma paume sur la pointe de la hanche de Ben. Il est allongé sur le côté face à moi. Son bras m'enlace et sa main vient sur moi, juste sous mes seins. Ses lèvres sont pressées sur le côté de ma gorge. Je me demande s'il peut y sentir mon cœur. Il bat fort pour lui, pour ce que je veux faire. Je passe la main sur sa hanche et sur les boucles serrées de ses poils, j'ouvre grand la main, comme ma bouche désirant un baiser profond, il est dans ma paume et mes doigts s'enroulent avec douceur sur cette partie de lui que je n'ai pas honte que le fantôme de mon père me voie caresser, mais pour laquelle j'ai du mal à trouver un mot.

Pénis ne veut rien dire pour moi. *Bite* ne veut rien dire pour moi. Dans ma langue cette partie c'est *ngọc hành*, un mot qu'il est convenable de prononcer pour une personne s'il y a une bonne raison, mais quand j'ai entendu ce mot petite fille je suis restée très perplexe, parce qu'il est composé de deux mots : *ngọc*, qui veut dire une gemme ou une pierre précieuse, et *hành*, qui veut dire un oignon. Ces choses se contredisent l'une l'autre, m'a-t-il toujours semblé. Et aucune des deux n'est ce que je suis en train de caresser maintenant avec ma propre main, avec ma propre volonté et mon propre désir. Le mot de la rue pour cette partie masculine, le mot que mon amie chuchotait dans la cachette au creux du banian où nous discutions, est *cu*, un mot qu'il n'est pas convenable de prononcer. Il veut dire tourterelle. Et c'est le mot maintenant. La partie secrète de Ben est une tourterelle pour moi, une chose fragile, une chose douce, très douce, et elle remue dans ma main, un oiseau attrapé endormi dans son nid obscur, et je ressens une chose très tendre pour elle, je sais que c'est la *cu* de Ben, et voilà pourquoi il y a de la tendresse, pourquoi je sens mon cœur dans ma gorge, et j'espère qu'il peut sentir mon cœur, lui aussi.

Je fais bouger Ben dans ma main, l'agréable douceur de la chair qui se répand entre mes doigts. Il fait un bruit. Je dis à ma main de rester tranquille. Je demande : « Ça te fait mal ? »

Son visage s'écarte de ma gorge. Il prend une respiration profonde et inégale. Je ne veux pas m'arrêter de le caresser.

Je dis : « Je vais garder la main immobile. S'il te plaît ne m'oblige pas à te lâcher. »

Il y a un petit bruit de nouveau, tout au fond de sa gorge. Je ne sais pas si ça veut dire oui ou non. Mais il ne prononce pas de mots. Je ne bouge pas la main. Ma paume est devenue sensible à sa façon, comme la partie secrète de mon propre corps, une autre partie que j'hésite à nommer.

Sa main est sur moi et toute la journée j'ai vagabondé dans les rues de Saigon, tourné, viré, je mourais d'envie de ce moment, je redoutais ce moment, et ma tête me dit maintenant que ça va, nous avons mis les choses au clair, c'est une question de possibilités, c'est tout, une sur vingt-cinq mille, aussi facilement ignorée que l'éventualité que je meure chaque fois qu'en Amérique je montais dans la cabine de mon camion et prenais la route. Mais je ne peux pas simplement continuer comme avant. Sa main est sur moi et je devrais soit la caresser moi aussi, soit lui dire d'arrêter et continuer de tenter de régler la question. Mais je n'arrive à faire ni l'un ni l'autre, tout ce que je peux faire c'est ne rien dire, rester allongé sans bouger et laisser sa main posée où elle est.

Pourtant il est clair pour moi que mon corps ne réagira pas. La partie de moi qui est encore là-dehors dans la rue, effrayée de monter dans cette chambre et d'affronter ce qui risque d'être une chose terrible, s'en réjouit. L'autre partie, la partie qui veut désespérément un avenir dans la vie de cette femme, dans son corps, soulève ma main libre et la pose en haut de sa cuisse. Mais n'arrive pas à l'amener plus loin. Tien et moi restons couchés ainsi un bon moment. Je suis flasque sous sa main et ma propre main est morte et lointaine.

Puis elle dit : « Sais-tu comment s'appelle mon endroit sexuel, là, en vietnamien ?

— Non.

— C'est l'*âm-dạo*. Ce sont deux mots. *Âm* veut dire secret. *Dạo* veut dire chemin. C'est mon chemin secret. Je crois que c'est comme ça, tu ne trouves pas ?

— Oui.

— Mais ce n'est pas un secret pour toi. Pour tous les autres, oui. Mais pas pour toi. »

Ma main se déplace enfin, mais pas vers cet endroit. Plutôt vers son visage. Je tourne son visage vers moi et je l'embrasse. Sur le front. Sur ses yeux, qu'elle ferme vite pour moi, joyeusement. Une sur vingt-cinq mille. Je veux embrasser sa bouche aussi. Ce baiser sur le front, aussi tendre et doux que soit cet endroit chez Tien, est un baiser qui porte l'ombre de cette autre chose. J'ai envie d'ouvrir sa bouche avec la mienne et de l'embrasser comme la femme qu'elle est — elle est une femme, elle n'est l'enfant de personne — mais je n'y arrive pas, je n'y arrive pas, sa main serre encore mon pénis doucement et mon baiser l'anime, elle me pétrit gentiment et je voudrais pouvoir m'ériger sous sa caresse, je voudrais pouvoir accepter ce secret qu'elle offre, mais en fait je suis coincé, de peur.

Elle dit : «Donc cette partie de toi doit être un voyageur secret. Oui ?»

Sa voix est ténue et tendre, et s'exprime en lisière de son désir pour moi. Cette douleur qui est en moi à présent, une douleur nette qui a commencé dans mes temps, ne me permettra pas de répondre.

Elle dit : «Endormi à l'orée de la forêt. Se reposant un instant avant de poursuivre sa route.»

Je me force enfin à articuler ces mots : «Tu sais que je t'aime.

— Je le sais ?» Elle le dit avec la montée d'une question dans la voix.

«Je te désire ma douce Tien. Je veux très fort être en toi.

— Oh, s'il te plaît, dit-elle avec précipitation. Je ne suis pas une fille qui exige du corps d'un homme qu'il fasse ceci ou cela quand je le dis. S'il te plaît. Je n'ai pas l'intention de critiquer l'endormi. Je l'adore.»

Elle me lâche et s'assoit, ma main tombant de sa hanche, l'autre quittant sa taille. Elle se redresse et maintenant se penche en avant. Elle a l'intention de m'embrasser là, je m'en rends compte. Je jette un cri.

«Attends», dis-je. Je pousse sur mes bras pour m'asseoir devant elle. Elle a les yeux écarquillés de honte. Je lui attrape la main. «Je t'en prie, ne me comprends pas de travers, maintenant. Tu étais sur le point de faire quelque chose qui…» Sa main est chaude de m'avoir caressé. J'ai du mal à dire ce que je sais devoir dire afin de la rassurer, non pas parce que ce n'est pas vrai mais parce que ça l'est : je l'imagine dans ma tête achevant son geste, se penchant en avant et posant ses lèvres là sur moi, elle m'embrasserait de la même façon détournée que sa voix, elle serait totalement elle-même dans ce geste et j'en ai horriblement envie, c'est pourquoi je ne peux pas supporter qu'elle le fasse, ne peux même pas supporter d'avoir cette image d'elle le faisant, jusqu'à ce que qui elle est et qui je suis soient clairs et nets.

« Tu n'aimes pas ça ? demande-t-elle.

— J'aime trop ça. Trop, ma chérie.

— Tu penses toujours à la chose terrible.

— Oui. » Et en l'admettant, je laisse brusquement toutes les questions refluer en moi. « Les possibilités ne sont pas d'une sur vingt-cinq mille. Je t'ai trouvée ici, non ?

— C'est ici que j'habite.

— N'as-tu pas dit que c'était ici que ta mère t'avait laissée ?

— Oui.

— Tu vivais ici quand elle travaillait comme hôtesse de bar ?

— Oui.

— Et où se trouvait son bar ?

— Je ne sais pas. Elle ne m'y a jamais emmenée. Jamais.

— Pas loin d'ici ?

— Je ne sais pas.

— Tu dois savoir. » Je le dis trop fort. Je m'entends aussitôt. Elle a tressailli, a eu un petit mouvement de recul. Je tends le bras vers elle. Je prends ses mains dans les miennes. « Excuse-moi », dis-je.

Elle me presse les mains. « Ben. C'est mon père qui nous cause ces ennuis. »

Je n'arrive pas à comprendre ce que ça signifie.

« Il est dans cette pièce », dit-elle, et me voilà glacé, l'endroit qui tapait dans ma tête devient raide de froid, d'un froid de col montagneux.

Elle paraît comprendre. Ses mains bondissent vers mon visage, me serrent les joues. « Non. Non. Je ne veux pas dire toi. Son fantôme. Mon père est mort. Je t'en prie, crois-le. Son fantôme est ici qui essaie de se mettre entre nous. »

Je ferme les yeux. Je suis toujours glacé. Je sens en moi un sale con de l'émission *La Justice à l'écran* qui continue à faire son trou, remplissant ma bouche de mots alors que tout ce que je veux au monde c'est simplement faire ce que dit Tien, simplement la croire et vivre ma vie. Je dis : « Je suis venu dans cette rue — tu m'as trouvé assis en bas — parce que c'est ici que j'ai connu la femme qui s'appelait Kim. C'était autrefois une rue pleine de bars. Si ta mère travaillait près d'ici, alors les possibilités se ramènent à quelque chose de vraiment troublant. »

Pas pire que l'éventualité que j'aie un cancer qui croisse quelque part en moi dans les vingt prochaines années, pas de possibilité pire que celle-là, et je ne pense jamais à cette éventualité : voilà ce que je rétorque. Mais je n'arrive pas à me réchauffer. Je me mets à frissonner.

Tien se penche en avant et passe ses bras autour de moi. Je dis : « J'ai besoin de savoir.

— Comment ? »

Pendant un instant, je ne sais pas. Mon esprit se fraie avec violence un chemin vers des réponses évidentes. « Il y a des analyses.

— Tu veux dire des examens de sang ?

— Je crois qu'ils tapent trop large. Ils ne nous diraient rien de sûr. Il y en a d'autres.

— Mon chéri, c'est quelque chose que je ne peux pas dire à mon travail, mais nous sommes nus dans mon lit alors je pense que ça va. Nous n'avons même pas assez de médicaments au Viêt-nam. Nous n'avons pas assez de médecins. Nous n'avons pas de laboratoires pour ces choses-là. Je doute même que nous puissions faire des analyses de sang. Alors quelque chose de plus compliqué, certainement pas. »

Je courbe la tête, ferme les yeux, me concentre sur les muscles qui s'étirent dans ma nuque. Je pense : Comme ces corps sont fragiles.

« Il y a une façon », dit-elle. Elle soulève mon visage d'une main. Je cède. Ses yeux sont très sombres. La lumière a presque entièrement disparu de la pièce et le néon n'a pas démarré dehors. Elle demande : « Nous devons le faire ? »

J'essaie une fois de plus de me débarrasser de cette chose. Je lève la main. Je lui caresse la joue. Je pense à l'embrasser sur la bouche. Ici, dans l'obscurité qui s'épaissit. Le chemin est tellement secret que nous serons les seuls à le savoir, elle et moi. Tous ceux que je connais dans ma vie, sauf elle, sont à un océan de là. Tous les Vietnamiens sur leurs motos qui foncent dans la rue nous ignorent, nous ignorent tout à fait. Et si le fantôme de son père se trouve dans cette pièce avec nous, alors au moins il n'est pas moi. Je me penche vers elle. J'approche ma bouche de la sienne. Lentement. Je sens son souffle sur ma lèvre supérieure. Puis nous nous touchons. Avec douceur. Et j'espère qu'elle a raison. Et je pense — une partie de moi pense, dans ce moment délicieux : Tien a raison. Pourtant la douceur même de ce baiser me fait flancher, je recule juste hors de portée de son souffle et je dis : « Oui. Je dois savoir. »

Est-ce que je sais bien moi-même combien j'aime cet homme ? Jusqu'à cet instant, c'est non. Je dis : « Je crois que ma mère est peut-être retournée dans son village natal. C'est près de Nha Trang. Nous pouvons essayer de la trouver. »

Il s'assoit. Son visage, bien qu'à présent je ne puisse pas le voir nettement dans la chambre qui s'obscurcit, paraît soudain sans expression. Il n'en a pas plus envie que moi, je pense. Ça me fait plaisir. Qui que puisse être cette Kim, il n'a pas envie de la revoir.

Bien qu'elle ne soit pas ma mère. Non. C'est quelque chose que je continue à reprocher au fantôme de mon père. Il met toutes ces choses déroutantes entre Ben et moi.

Et puis brusquement il y a encore une autre chose déroutante. J'ai parlé à Ben du village de ma mère sans vraiment réfléchir, parce que c'est vrai qu'elle a pu facilement partir là-bas, et, s'il doit y avoir une preuve qui ne se trouve pas dans son cœur, alors la seule façon est de trouver ma mère. Mais maintenant je pense : Est-elle vivante ?

De temps en temps, ces dix-neuf dernières années, je me le suis demandé. Quand j'ai offert le thé à Ben, à sa première visite dans cette pièce. Mais quand je pense que je ne le saurai jamais avec certitude, que de toute façon je ne la reverrai jamais, c'est une idée lointaine. Pourtant à présent elle me frappe très fort. Elle pourrait être morte. Et je me dispute avec moi-même. Mon gouvernement ne lui a pas fait de mal. Je le sais. On n'a fait de mal à aucune des prostituées pour les Américains, même pas ici à Hô Chi Minh-Ville, où certaines sont restées sans honte et se sont offertes aux forces de libération. Ces femmes ont simplement été envoyées dans les camps de rééducation et on n'a fait de mal à aucune d'elles. Et ma mère devrait — je ne suis même pas cer-

133

taine de l'âge qu'elle avait quand elle m'a quittée, pas plus de trente ans, je pense — elle devrait avoir peut-être cinquante ans. Pas plus. Peut-être encore moins. Pas une femme prête à mourir de son grand âge.

Pourtant elle n'est jamais revenue. Même quand il a été évident — et ça a été vite évident — qu'on ne lui ferait pas de mal, elle n'est jamais revenue. Elle ne nous a même jamais écrit une lettre, à ma grand-mère et à moi. Elle pourrait être morte.

Je sens un brusque coup de froid. Pas cn moi. Dans la pièce. Je tourne la tête pour regarder. Il n'y a rien. L'obscurité. L'autel sans visage à l'autre bout.

« Crois-tu qu'elle risque d'être là-bas ? » C'est la voix de Ben. Il me semble très loin.

Je murmure : « Oui », et je tends l'oreille pour entendre ma mère. Elle pourrait se trouver dans cette pièce. Ça pourrait être sa jalousie, pas celle de mon père, qui cause ces ennuis.

« Tu ne l'as pas vue depuis... »

J'entends ces mots, j'entends même la façon dont il ne termine pas sa phrase, si bien qu'elle devient une question qu'il me pose. Mais je suis toujours tendue pour sentir si elle est dans cette pièce. Je ne réponds pas.

« Tien ? » dit-il.

Je me tourne vers lui.

Il dit : « Si tu ne veux pas le faire, je comprends.

— Le faire ?

— Trouver ta mère.

— Tu as décidé que tu as besoin de ça ?

— Je ne sais pas. Je veux simplement oublier toute cette histoire. Je t'assure. Je le veux plus que tout. Rien que pour te caresser maintenant. »

Il dit ça et je surveille ses yeux. Ils ne vont pas vers mon corps, bien que je sois toujours nue devant lui. Et je sais que nous devons aller à Nha Trang. Le coup de froid est en moi à présent. Je suis très consciente de mon corps. À la façon d'autrefois. Je me recroqueville devant lui, même s'il ne regarde que mes yeux. Je croise les bras sur ma poitrine, en cachant mes mamelons.

Il dit : « Tu ne l'as pas vue depuis que tu étais enfant ?

— À huit ans.

— Tu peux le faire ?

— Si ça veut dire que nous pouvons nous aimer de nouveau. Oui.

— Je t'aime maintenant.

— Tu sais ce que je dis.

— Oui », dit-il, et il tourne les yeux, vers la fenêtre.

Je me lève. Son visage vire brusquement au rouge pâle, comme s'il rougissait de me voir. Mais c'est le néon qui est tombé sur lui comme un fantôme, venu de l'extérieur, de l'hôtel d'en face, le néon qui s'allume pour la nuit. Je me surprends pourtant à espérer que Ben continuera à détourner le regard jusqu'à ce que j'aie traversé la pièce et disparu dans la salle de bains.

Je lui tourne le dos, je m'éloigne et ma chair grouille du désir d'être cachée. Ça me rend très triste. J'essaie de sentir si ma mère est ici avec nous. Devant moi, la porte de la salle de bains est entrebâillée et la lumière de l'ampoule se répand. Je m'arrête. Malgré mon envie de quitter la vue de Ben à l'instant, je m'arrête. Je pense que c'est elle. Je pense que je suis de nouveau son enfant et qu'elle est là, derrière la porte, sans faire de bruit, à regarder sa vie gâchée sans mes yeux posés sur elle, le regard plongé dans ses propres yeux dans le miroir, peut-être, comme elle le faisait il y a des années, et maintenant elle est revenue pour causer des ennuis. J'ai peur qu'il suffise que je touche la porte pour qu'elle s'ouvre à la volée et elle sera là, son visage se tournant vers moi.

Mais je ne suis plus son enfant. Je ne suis l'enfant de personne. Si elle est là, si son fantôme s'est tissé en une chose visible et m'attend, alors je m'en réjouis. Nous en finirons avec cette histoire ici même.

Je m'avance vers la porte et je l'ouvre vite. La salle de bains est vide. Mon peignoir en soie pend à un crochet à l'arrière de la porte. Je le prends et l'enfile. Dès que c'est fait, je me sens mieux vis-à-vis de mon corps, et dès que je me sens mieux vis-à-vis de mon corps, je veux être de nouveau nue pour Ben.

C'est un moment très étrange pour moi.

Mais je m'enveloppe bien serrée dans le peignoir, je noue la ceinture et je n'aime pas la lumière de l'ampoule nue. Je fais un pas pour l'atteindre et je tire sur la chaînette. L'obscurité ressemble à un baiser sur mes yeux. Je veux que ce soient les lèvres de Ben.

Je sors de la salle de bains et il y a une forme dans l'obscurité, au milieu de l'obscurité, je recule, elle est grande, elle remplit la pièce et je suis sur le point de dire tout haut : Père, mais la forme parle : « Qu'est-ce qu'il y a ? » et c'est Ben.

Je dis : « J'ai cru que tu étais un fantôme. »

Il vient plus près. Je me réjouis maintenant de ne pas avoir parlé. Je regrette de ne pas avoir laissé la lumière allumée. Je veux voir son visage. J'aime son visage. Mais la seule lumière est le néon derrière lui, et son visage est sombre et auréolé de rouge, comme je l'ai lu de l'aura qui émane des gens, le fantôme vivant que nous transportons. Bien que je ne puisse pas les voir, je pourrais trouver ses lèvres si je le voulais. Mais je sais que nous devons d'abord faire cette chose.

Je dis : « Tu veux engager une guide de Saigontourist pour une sortie en voiture à Nha Trang. Oui ? »

Il ne dit rien du tout pendant un moment. Je commence à espérer qu'une fois que nous serons loin de cette pièce, loin de ces esprits d'ici, il risque de trouver la réponse en lui, nous pourrions aller à Nha Trang et simplement nager tous les deux dans la mer de Chine méridionale sans avoir rien d'autre à faire.

Je dis : « Il y a une très belle plage. »

Il dit : « Peux-tu organiser cette visite ?

— Oui.

— Sera-t-elle… privée ?

— Mon chauffeur sera ravi de prendre un congé secret. Oui. »

Il se tait de nouveau. Mes mains ont soudain la bougeotte : elles mouraient d'envie de le caresser ce soir mais maintenant ça ne se fera pas.

Alors je dis la chose que je veux ressentir mais que je ne ressens pas : « Il n'y a pas de quoi avoir peur. »

Il dit : « Je ne peux pas te dire à quel point je suis désolé de te faire subir ça. »

Je sais ce qu'il veut dire mais je ne suis pas prête à réfléchir à ce que ça risque d'être de la trouver. Alors je repousse cette pensée loin de moi, comme je l'ai fait toutes ces années. Je lui permettrai seulement d'être désolé d'avoir quitté mon lit ce soir.

Je demande : « Tu vas rentrer à ton hôtel maintenant ? »

Je l'entends reprendre son souffle. Ça ne lui était pas encore venu à l'idée. Je m'impatiente un peu : il le faut, mon Ben ; tu nous as menés là ; accepte-le et va-t'en. Mais je suis loin d'arriver à prononcer ces mots à haute voix.

Son ombre s'agrandit, il me prend dans ses bras, relève mon visage et m'embrasse sur la bouche, et bien que le baiser soit bref, je sens que si Ben me lâche maintenant, je tomberai par terre.

« Quand te verrai-je ? demande-t-il.

— Demain à midi devant Hô Chi Minh.

— La statue ?

— Si tu arrives à trouver l'Oncle Hô en personne, je

te retrouverai plutôt là. Il est très sage. Peut-être que son fantôme peut nous éviter un voyage. »

Ben rit doucement et je ris aussi, encore qu'il me semble entendre une petite colère en moi quand je dis ça, mais je suis contente s'il pense simplement que j'aime beaucoup plaisanter.

Et puis le voilà parti.

De l'autre côté de sa porte je fais un pas, puis un autre et encore un autre, et mes jambes essaient de me jeter par terre, je m'appuie à la balustrade sur ce long balcon arrière et je me trouve devant la porte de quelqu'un d'autre, la voisine de Tien, la porte est ouverte, une faible lumière brûle et il flotte une odeur de kérosène et une odeur mouillée et épaisse — sauce de poisson et un bas morceau de porc — quelque chose dans ce genre, une odeur de nourriture qui est soudain mêlée à une image de Kim, l'odeur dans une ruelle comme celle-ci, entrant par la fenêtre pendant que je suis nu avec Kim, toutes ces années ont passé et elle est près de moi à présent, ce pourrait être dans une pièce de cette même ruelle, le long de ce balcon très ordinaire, l'endroit où je suis entré pour faire l'amour pour la première fois. Je continue. Une autre porte ouverte, une femme qui peigne ses cheveux, longs et sombres, juste maintenant, pas dans le passé, j'essaie de bouger plus vite, de garder les yeux fixés devant moi, Kim peigne sa chevelure devant l'autel de son grand-père mort et j'attends nu sur son lit.

Je descends l'escalier en colimaçon, en m'agrippant, et je me vois gravissant un escalier métallique tout comme celui-ci, Kim une marche devant moi, ses douces fesses se balançant devant mon visage, me donnant des démangeaisons dans les mains, les odeurs nocturnes de Saigon autour de nous, feu de bois, encens, pourriture des ruelles. Je m'éloigne de l'appartement de Tien, tout ceci me revient et je ne veux pas caresser Kim, même pas dans mon souvenir, j'essaie de prendre les couvertures dans ce souvenir et de les tirer sur mon corps tandis qu'elle peigne ses cheveux, mais je ne peux pas, c'est déjà arrivé, quoi qu'il y ait eu entre moi et cette femme dont le nom pouvait bien ne même pas être Kim, c'est arrivé et on ne peut pas revenir là-dessus, et quand je retourne là dans mon souvenir, comme je le fais maintenant, en essayant de me hâter dans cette ruelle, je ne peux pas me couvrir, je reste nu, elle traverse la pièce et je dois l'attirer sur le lit avec moi, je dois poser ma bouche sur la sienne, je dois sentir sa main s'arrondir autour de mon pénis, je dois me dresser aussitôt à son contact.

Je m'attrape la tête d'une main, me serre les tempes avec force. Elle s'en ira pour de bon quand je saurai qui elle est. Ou qui elle n'est pas. Je suis sorti de la ruelle, à présent, et au bout attend un cyclo-pousse, je m'avance vers lui et puis je m'arrête. Je pense que quelque chose ici va me donner la réponse. Je vais regarder attentivement et ce ne sera pas du tout la bonne rue, pas le bon quartier, les possibilités redeviendront nombreuses. Un autre moment d'une nuit sombre et lointaine : je descends d'un cyclo-pousse, je suis devant un bar et je m'autorise à être là, j'essaie de voir ce qu'il y a en vitrine. Deux mots vietnamiens au néon, je crois. Certains bars avaient des noms américains mais pas celui-ci. C'est le bar où elle travaillait et je n'arrive pas à me souvenir de son nom vietnamien. Je regarde maintenant et il n'y a que la fluorescence clignotante du restaurant de nouilles, les minuscules tables en plastique, devant, entourées par les formes des gens qui mangent. Le bar de Kim se trouvait-il près de l'entrée d'une ruelle comme celle-ci ? J'essaie de regarder, debout devant le cyclo-pousse, dans mon souvenir, mais je ne vois pas. L'endroit flotte dans ma tête sans rien autour et Kim se tient sur le seuil, le visage sombre, la lumière venant de l'intérieur du bar auréolant sa tête d'or. Était-ce le premier moment où je l'ai vue ? Hé ! G.I., dit-elle. Viens boire bière avec beauté de Viêt-nam. Moi Kim.

Je regarde autour de moi à présent. À la recherche d'un détail familier, bien que je veuille qu'il n'y ait rien. Et il n'y a rien. Des corps passent près de moi. Soupe. Aménagement d'appartements. Le mannequin d'un tailleur dans une vitrine. Tout a tellement changé. Les bars ont disparu depuis longtemps. Ce qui pourrait être toujours pareil — la ruelle, un balcon, une rangée de fenêtres au premier étage — est tout flou dans mon souvenir, ou plongé dans le noir. Je me retourne et se dessine au-dessus de moi un gros truc dont je devrais être capable de me souvenir : un hôtel, le Métropole. Mais il est luisant et visiblement neuf. Ou peut-être refait. Y avait-il un hôtel en face du bar de Kim ? Ceci me paraît vaguement familier. Mais je ne reconnais pas cet endroit. Aussi gros que soit ce truc, je suis incapable de dire s'il était là ou non. Quelque chose qui ressemble à de la panique s'emballe en moi, comme si le milieu de ma poitrine était le moteur de toutes ces impressions dingues et qu'il s'emballait et filait dans le rouge. Il faut que je bouge. Il faut que je sorte de cette rue maintenant, je crois. Mais merde à la fin. Je dois lutter pour Tien. S'il est possible que je trouve quelque chose qui mette ici un point final, quelque chose qui me permettra de monter la retrouver maintenant, à l'instant, et de dire : C'est fini, nous pouvons être amants pour toujours, alors je dois essayer.

Je fais face aux devantures des boutiques. Je m'autorise à regarder le passé. Et il n'y a rien de plus. La rue tout autour de moi est toujours noire, comme si je m'évanouissais. Il n'y a que le bar devant moi. Je traverse cet espace à grandes enjambées, je suis devant la femme à la porte et je dis dans ma tête : Tu n'es pas Kim. Ça c'est pour les G.I. Quel est ton vrai nom ? Elle me regarde. J'aurais pu dire ces mots n'importe quand pendant les mois où j'étais avec elle. Rien que ces quelques mots et sa réponse — mon vrai nom est Kim — ou n'importe quel autre nom excepté Huong — me mettrait dans les bras de Tien à la minute même. Mais quand nous avons été davantage l'un pour l'autre que G.I. et hôtesse de bar, elle aurait pu me dire son vrai nom, s'il était différent, sans que je le demande. Elle l'*aurait* fait. Certainement. Et elle ne l'a jamais fait. N'est-ce pas aussi bien ? N'est-ce pas une preuve ? Je veux que ce soit toute la preuve qu'il me faut, mais ça ne l'est pas.

Alors je me détourne, je m'avance vers le cyclo-pousse, je dis l'adresse de mon hôtel et nous démarrons dans la nuit. Les motos nous dépassent à toute allure, je ferme les yeux et si le pire est vrai, alors, la dernière fois où j'étais avec Kim, Tien était déjà là dans son corps. J'essaie de m'en souvenir et je ne trouve rien. Ces choses qui demeurent — un moment sur un escalier en fer, à l'autre bout d'une pièce, sur le seuil d'un bar — sont des clichés — comme une enfant sous un arbre, regardant sans sourire l'objectif de l'appareil — elles ne contiennent pas d'histoire, elles ne me dévoilent rien. Ce qu'il y avait entre nous est simplement mort. Il n'y avait pas de révélation dans la précipitation de nos étreintes, pas de lien, il n'y avait rien, et les petits mots gentils se sont arrêtés, je suppose, et l'argent a pu refaire surface dans la transaction, et puis ça a été fini pour de bon. Elle voulait venir en Amérique. Quelque chose que je ne pouvais pas lui donner. J'ai dit non. Ça s'est terminé comme ça. Si elle était enceinte, elle s'en serait servie pour essayer de partir avec moi. Mais elle ne l'a pas fait. À moins qu'elle ne l'ait pas su. Pourtant la situation étant ce qu'elle était, il paraît impossible qu'une nouvelle vie ait commencé à partir de ce que nous avions fait. Je ne suis jamais retourné la voir. Je ne suis même jamais allé dans un autre bar. J'étais mort pour elle et elle était morte pour moi.

Je frissonne à cette idée et je me penche en avant dans le flot de la rue obscure sous le cyclo-pousse. Je suis rentré seul en Amérique, j'ai épousé Mattie et je me suis rendu compte que j'étais toujours seul, et puis j'ai découvert mon camion et la route, et je me penchais sur mon volant et j'observais le mince sillage noir de gaz d'échappement qui filait sous moi, j'avais l'impression qu'il m'emmenait, parfois j'avais l'impression que je suivais cette ligne sombre dans un avenir qui contenait quelque chose de grand, c'était comme de courir après son destin au lieu de simplement parcourir encore dix mille putains de miles dans un sens pour faire demi-tour et en refaire encore dix mille pour revenir. Il y avait plus que ça pour moi. Beaucoup plus.

Et puis me voilà allongé sur un lit cette nuit, dans le noir, dans mon hôtel à Saigon, et j'attends le sommeil, j'attends demain. Je connais la route de Nha Trang, je la connais bien : Route 1, où j'ai regardé le chauffeur devant moi, debout sur le bas-côté de la route, une partie de lui arrachée, il était calme, très calme, en train de se demander où cette partie pouvait bien être. Il y a le même calme stupéfait en moi à présent, je pense. Je regarde le ventilateur à pales tourner au-dessus de moi et, pour la première fois de ma vie, être seul n'est pas le lieu où je vis, parfois sans personne autour, parfois avec un resto routier plein de camionneurs, parfois avec une femme dormant tout près de moi. Pour la première fois, être seul signifie l'absence de quelqu'un d'autre : le creux de mon bras, la pointe de mon épaule, la peau le long de ma hanche et de ma cuisse, tout ressent le picotement de son corps absent, l'ombre de son corps s'appuyant là avec douceur. Je connais la réponse à la question que je partage avec le type dans l'herbe rude de la Route 1. Je sais où se trouve la partie de moi qui manque. Elle est dans son lit à l'instant même, dans cette même ville. J'étais là-bas ce soir. Et j'ai passé sa porte. Est-elle nue de nouveau ? Pas moi. Par peur de tout ça je suis toujours habillé, effrayé par mon corps maintenant. Mais je sens encore son corps sur ma peau. Je transpire, le ventilateur remue dans le noir et je suis seul.

Une fois la porte refermée, je n'arrive pas à retenir mes larmes. Pendant quelques instants. Mais je les arrête. Je ne perdrai pas Ben. La pièce est sombre. Je m'approche du chevet à côté de mon lit et j'allume une lampe. L'abat-jour est mince et d'en haut sort une lumière qui est comme l'ampoule de la salle de bains. Est-elle ici ? Est-elle simplement hors de vue, immobile ? Quelqu'un connaît la réponse et je vais lui parler maintenant, comme je l'ai fait chaque jour de ma vie d'adulte.

Je m'avance vers l'autel, je m'agenouille et mes mains exécutent les gestes qu'elles connaissent si bien. Je sors la boîte d'allumettes de dessous le jupon de la petite table. Je prends une allumette dans la boîte, je la gratte et la flamme s'éveille dans un sifflement, j'effleure le bout du premier bâton d'encens, en penchant l'allumette, en posant la pointe jaune et brûlante de la flamme sur l'extrémité arrondie, elle se met à rougeoyer et puis l'encens paraît s'obscurcir, mais la fumée commence à monter et il brûle, je le sais. Je le fais pour le second bâton, pour le troisième, puis je place la flamme de l'allumette devant mes lèvres et je la souffle. Je laisse tomber l'allumette à côté de moi. Je presse mes paumes autour des trois tiges d'encens et je les sors du sable. Je courbe la tête.

Père, dis-je en moi. Père, je suis ici.

J'élève l'encens, aide la fumée à monter et à entrer dans le monde des esprits. Je pense à lui qui tourne la tête. Il sent le parfum de mes prières, produit par ce feu sans flamme, et il quitte l'endroit où il peut bien aller dans cet autre monde — j'essaie de voir l'endroit mais il n'y a rien, rien que l'obscurité — et il vient à moi maintenant.

Je dis que je l'imagine se tournant vers moi, venant à moi, mais je ne peux pas me représenter son visage. J'ai essayé, souvent, dans mes prières, mais quand je vois un visage, je sais très nettement que c'est seulement moi, seulement ma construction à partir des visages d'autres hommes : un touriste italien, un fonctionnaire russe, Paul Newman. Mais bien que je ne puisse pas le voir, il vient à moi ici, mon père. Ça je le sais bien, très nettement aussi, et il n'est pas une création de mon imagination, il est réel.

Père, dis-je, j'offre à ton esprit la paix qui vient de l'amour, des prières et de la dévotion de ton enfant, et je te demande l'harmonie et la paix qu'un père peut donner à sa famille.

Ce sont les mots que je dis toujours, selon la coutume des gens du Viêt-nam. On m'a raconté que même certains de nos dirigeants prient leurs ancêtres. Nous sommes un pays communiste, qui se préoccupe des masses selon les vérités de Karl Marx, mais nous sommes aussi vietnamiens. Je pense que l'esprit de Karl Marx erre peut-être, solitaire et effrayé, dans l'au-delà parce que lui et ses enfants ne comprenaient pas certaines autres vérités. Ils étaient d'Allemagne.

Je remets les bâtons d'encens dans le sable et laisse la fumée monter d'elle-même pour porter le reste de mes prières.

Père, dis-je. Tu n'as pas à craindre cet homme qui m'aime. Je ne t'oublierai pas. Je te le dis, avec de nouveau l'idée que c'est toi qui t'es vexé. Pardonne-moi si je t'accuse à tort, si c'est ma mère la jalouse. Je te demande de me laisser connaître la vérité. Est-elle là avec toi dans le monde des esprits, causant ces ennuis entre Ben et moi ?

J'interromps mes paroles et essaie d'entendre mon père. Il m'a déjà parlé, quoique pas avec la voix d'un homme. Il met ses paroles en moi tout entières et là elles grandissent, à l'intérieur de moi. J'attends que cela arrive. Je serre les paupières. Il n'y a que l'obscurité. Et l'odeur de l'encens. Je suis très calme à l'intérieur. Et puis je sais qu'il me l'a dit. Elle est vivante.

J'ouvre les yeux. Je lève la tête. Derrière les trois rubans de fumée se trouve l'espace vide où son visage devrait être. Je veux le regarder droit dans les yeux pour qu'il puisse voir ma colère contre lui. Mais je n'ai que des mots.

Père, dis-je, tu ne dois pas essayer de me faire choisir. Je suis une femme vivante. En es-tu jaloux aussi ? Tu es mort jeune. Peut-être plus jeune que je ne le suis maintenant. Mais j'ai attendu, père. Jusqu'à ce que Ben me touche, aucun homme ne m'a vue nue dans cette chambre. Sauf toi.

Je dis ces mots comme une prière et je m'arrête. Mon visage s'enflamme. Je courbe la tête de nouveau mais pas par respect. Je suis contente maintenant de ne pas le regarder dans les yeux. Cette chose à laquelle je n'avais pas pensé jusqu'à aujourd'hui est à présent très réelle au fond de moi, d'avoir été nue devant lui. Et je ne lui ai pas parlé des deux autres, qui m'ont vue nue dans d'autres chambres.

Je lui dis : Pourquoi ne pourrais-tu pas être vivant ? Pourquoi ne pourrais-tu pas être vivant, alors je pourrais mettre la porte entre toi et moi et tu ne pourrais pas voir ? Je pourrais m'habiller, je pourrais ouvrir la porte et nous pourrions nous toucher. Tu pourrais me prendre dans tes bras. Tu pourrais embrasser ma tête. Je pourrais te serrer contre moi. Je veux ça aussi, père. J'en brûle d'envie aussi. Mais cet homme me tient d'une autre façon. Ce que nous ne pouvons pas avoir entre nous, toi et moi, n'est pas remplacé par ce qu'il y a entre Ben et moi. J'ai toujours la nostalgie de toi, père. Pas moins qu'avant. Vois ces larmes qui coulent maintenant de mes yeux. Elles sont pour toi. Pas pour la crainte de perdre Ben. Pour la tristesse de ne jamais te toucher. S'il te plaît, ôte ces doutes de la tête de Ben maintenant. Ôte-les. Appelle-le ton fils et donne-lui la paix qu'un esprit doit à la famille qu'il laisse derrière lui.

Je me tais. J'attends sa réponse. Mais je ne sens rien en moi. Il est parti. Il est ailleurs quelque part, loin de moi.

La main d'Hô Chi Minh est posée sur la tête de la petite fille. Il est en pierre noire, et de l'avoir vu l'autre jour je me rappelle son bras tendu sur la souche d'arbre où il est assis, et je me rappelle son bras autour de la fillette, qui tient une fleur. Mais à présent je vois cette main gauche pour la première fois tandis que j'attends Tien. Sa main effleure les cheveux de la petite fille et, à première vue, c'est un geste tendre, un geste paternel. Pourtant je fixe cette main tandis que j'attends l'arrivée de Tien dans un flot pressé de gens, et la main me tracasse. Elle touche à peine la fillette, paume ouverte, à l'arrière et un peu sur le côté de sa tête, comme s'il la caressait, s'il caressait ses cheveux. Un geste paternel aussi, me dis-je. Mais la fillette semble si profondément absorbée par la fleur dans sa main, ignorante de la caresse, vulnérable dans son ignorance, et Hô ne la regarde pas, son visage est tendu en avant et il y a une sombre expression adulte dans ses yeux fixes, sur sa bouche légèrement ironique. Le sculpteur voulait les deux. Hô la tendre figure paternelle, et Hô le chef endurci et déterminé d'une révolution. Mais cette expression se lit sur sa main et j'ai peur pour la fillette, je ne peux plus voir cette image et je découvre que mes poings sont crispés.

Je me détourne. Une gamine avance d'un pas glissé, elle croise mon regard, s'arrête et brandit un carnet de billets de loterie.

« Toi acheter, dit-elle.

— Non. Désolé.

— Toi acheter, dit-elle en s'approchant. Bonne chance gagner argent.

— Non. »

Sa main est sur moi, sur mon poignet. Je dégage mon bras d'un coup sec.

« Va-t'en. S'il te plaît, dis-je.

— Enculé. » Elle s'éloigne et je frotte l'endroit qu'elle a touché avec vigueur. Je frotte pour effacer son contact.

Je tournicote, m'écarte de la statue. Un homme a ouvert une valise sur un banc, pleine de paquets de cigarettes. Je m'approche. Il y a des années que je n'ai pas fumé. J'ai toussé tout du long d'un trajet entre St. Louis et Denver, un printemps, et j'ai arrêté net. Mais maintenant j'ai envie d'une cigarette.

« Toi acheter », dit-il.

147

Je regarde les marques, toutes chinoises ou vietnamiennes, mais toutes avec des noms en anglais : Lord
Filter. Ruby Queen. Park Lane. White Horse. Sunny.
Hero. Il y a une marque dans un paquet blanc qui s'appelle Memory. Ma main s'avance et elle tremble. Je
songe que Park Lane était la marque qui dissimulait la
marijuana quand j'étais ici. Je la laisse de côté, bien que
je sois certain que de toute façon ce n'est maintenant que
du tabac. Je prends un paquet de Ruby Queen et une
pochette d'allumettes, je paie le type et je m'éloigne.

J'ouvre le paquet, en sors une cigarette d'une chiquenaude et la porte à ma bouche. Je fourre le paquet dans
la poche de mon pantalon et gratte une allumette. Je
touche l'extrémité de la cigarette et aspire la fumée, ça
a le goût de gaz d'échappement de camion et j'attends
que la nicotine rapplique, aplanisse les aspérités, calme
ma main, mais elle ne fait que grincer en moi et tout ce
que je récolte c'est une saloperie de tapée de nuits floues
avec une saloperie de tapée de panneaux de sortie de
l'autoroute qui filent dans mes phares, d'une pichenette
je jette la cigarette.

Je suis plus nerveux qu'avant. Et puis je la vois qui
traverse la rue, au loin, là-bas à Le Loi près de la fontaine. Je la vois, bien qu'il y ait une centaine de personnes autour d'elle et une centaine de personnes entre
nous. Je vois Tien, elle porte le chemisier blanc avec le
gros nœud et la jupe étroite et sombre qui lui cache les
genoux. La tenue dans laquelle je l'ai vue la première
fois.

Elle pénètre sur la place et pendant un court instant
elle ne me voit pas. Je pense à m'en aller. Aussi uni à
elle que je le sois par mon amour — et je suis aussi uni
à elle qu'aux membres de mon corps — je suis à deux
doigts de tourner les talons, de partir en vitesse, de trouver un endroit où me cacher et puis de foutre le camp de

ce pays sans la revoir et ne plus jamais me poser une seule autre question sur ce qui s'est passé. Rentrer, grimper dans un autre camion et suivre la trace noire des gaz d'échappement sur ma voie jusqu'à ma mort, putain de bordel. Mais je n'ai pas tout à fait assez peur pour ça.

Et puis elle m'aperçoit et commence à se hâter, en coupant les files de Vietnamiens qui flânent sur la place, en évitant les gens, elle ne semble pas du tout être l'un d'eux, elle bouge d'une façon différente, plus rapide, plus concentrée. Je pense : comme une Américaine.

Et elle l'est. La moitié d'elle l'est. On le sait déjà. La regarder bouger ainsi, s'approcher, n'est pas une raison pour que l'emballement reprenne. Je maudis ma lâcheté. Je maudis les bouffées de peur. J'attends sa caresse.

Mais ce n'est plus Saigon, c'est Hô Chi Minh-Ville, Hô nous observe et sa propre caresse est secrète, elle semble être une chose, dans ce lieu public, mais en est une autre, j'en suis à présent convaincu. Tien est ici, elle respire fort et nos mains battent devant nous, sans savoir que faire, et je ne sais pas trop comment cela se produit mais nos mains droites se relient, nous échangeons une poignée de mains, comme deux étrangers qui se rencontrent et se présentent, ou peut-être comme une guide touristique et un touriste. Nous baissons tous les deux les yeux vers nos mains qui se serrent et Tien rit, bien que ce rire soit grave, vif, nourri, je pense, de mon échec d'hier soir.

« Bonjour, dit-elle, toujours en regardant nos mains.

— Bonjour.

— Ça fait tellement bizarre.

— L'Oncle Hô regarde. »

Elle relève le visage, jette un coup d'œil par-dessus mon épaule. Elle rit de nouveau, avec plus de douceur maintenant, et puis elle dit dans un murmure : « Il se vexe si facilement.

149

— Ravi de vous rencontrer», dis-je, bien fort, sans lâcher sa main, en jouant le petit jeu, bien que ce soit la dernière chose que j'aie envie de faire à l'instant. «Je suis Benjamin Cole.

— Je suis votre guide, Mlle Tien», annonce-t-elle, et elle se penche près de moi. Elle chuchote de nouveau. «Cela veut-il dire que nous pouvons recommencer à zéro?»

Je sais qu'elle demande si nous devons vraiment aller à Nha Trang, si nous ne pouvons pas faire simplement une autre visite de la ville et puis nous retrouver ce soir et reprendre notre liaison amoureuse. Mais je suis incapable d'imaginer une façon de répondre.

Elle dit : «Ici. Dans ce lieu public. Loin de ma chambre et de toutes les… choses qui y sont. Cela te semble-t-il pareil?»

Nos mains se séparent. Je dis : «Je t'aime toujours.

— Et je t'aime. Mais c'est l'autre chose que je te demande. La peur.»

J'attends. J'attends une autre réponse que celle que je sais devoir donner. Mais il n'y a rien d'autre. «Nous devons en avoir le cœur net.»

Elle hoche la tête une seule fois. «Alors j'ai réservé une voiture pour nous. J'aimerais que ce soit pour tout de suite. Mais je n'ai rien trouvé avant trois jours.

— Trois jours.» C'est de la répétition bête. Je ne sais pas comment garder ce sentiment pendant trois jours de plus.

«Je suis désolée, dit-elle. La ville est pleine d'hommes d'affaires japonais jusqu'au week-end. Ils ont retenu de nombreuses semaines à l'avance.

— Je comprends.»

Il n'y a pas de mots pendant un long moment et puis elle dit, très doucement : «En attendant, ça doit se limiter à une poignée de mains pour nous. Non?»

Je regarde attentivement ses yeux. Si elle est ma fille, je serais certainement capable de la regarder dans les yeux, d'y voir quelque chose de moi et de savoir. Mais rien n'est clair. Et la peur refuse de s'en aller.

Tien acquiesce comme si je lui avais répondu. Elle dit : « Je te verrai vendredi. Je te retrouverai avec la voiture juste là-bas, devant l'hôtel Rex, à huit heures du matin. Nous pouvons arriver tout près de Nha Trang avant la nuit. »

Je dis : « Tu m'en veux ?

— Non, dit-elle. Pas à toi. J'en veux à mon père. »

Ce qui se rue en moi maintenant c'est de la gratitude pour cette femme. Sa certitude me remonte le moral, aplanit les aspérités comme je l'attendais de la taffe de cigarette. Je dis : « J'ai envie de te toucher maintenant plus que jamais. Tu comprends ?

— Je désire ne pas comprendre jusqu'à ce que cela puisse être davantage que des paroles.

— Je t'aime, Tien. »

Ses yeux s'emplissent de larmes, mais elle lève un petit peu le menton, les empêche de couler. Elle m'offre sa main. « Je vais te serrer la main pour ça », dit-elle.

Je souris. Elle aussi. Je lui prends la main comme pour la serrer, mais nos mains ne bougent pas. Nous nous touchons et les gens passent près de nous. Elle me lâche la main et s'en va, droit devant elle.

Je ne me retourne pas pour la regarder et tout à coup elle est de nouveau près de moi, à mes côtés.

Elle dit : « Je ne veux pas que tu te méprennes pendant ces trois jours. Quand je t'ai serré la main à l'instant, j'étais emplie d'un fort sentiment pour toi, un bon sentiment. Je n'ai pas dit à mon tour "je t'aime", mais c'est la vérité. »

Et la voilà partie. Cette fois-ci je la regarde s'éloigner, passer devant Hô avec sa main sur l'enfant, et pénétrer

151

dans la foule. Quand je la perds de vue, j'enfonce mes mains agitées dans mes poches et trouve le paquet de Ruby Queen. D'une chiquenaude je sors une autre cigarette, l'allume, tire une profonde bouffée, elle brûle en moi mais je la retiens et toutes les nuits vides sur la route viennent avec, toutes les nuits passées à aspirer la fumée et à la souffler, encore et encore, et maintenant je garde la fumée en moi, comme si je retenais mon propre fantôme.

Il est sur le trottoir quand M. Thu et moi arrivons en voiture. Il a un petit sac à côté de lui et nous nous arrêtons. Je vois son front se plisser quand il aperçoit M. Thu. Je sors. Nous ne nous serrons pas la main cette fois-ci.

« Tu te souviens de M. Thu, dis-je, avant même qu'il puisse poser la question. Nous le déposerons chez lui en quittant la ville. »

Ben acquiesce. Je lui ouvre la portière arrière. M. Thu est déjà hors de la voiture à ramasser le sac de Ben et il se dirige vers le coffre. « Je t'en prie », dis-je à Ben, en lui désignant la banquette arrière. Je sens comme je suis guindée, comme tout ceci paraît froid. Lui aussi. Il me lance un bref regard triste, il s'avance et se courbe, en s'installant sur la banquette arrière. Ça m'est égal si quelqu'un me voit ou ce qu'on peut penser, bien que je sois très discrète, en vérité, en me tournant pour protéger ce que je fais, mais au moment où il passe devant moi je déplace la main qui tient la portière et lui touche l'arrière de la cuisse, juste un contact rapide, et puis j'attrape de nouveau la portière et la referme.

Je m'écarte de la voiture, mon cœur bat à toute allure. Je devrais montrer plus d'égards pour la peur de Ben. Mais je ne la partagerai pas. J'attends ce voyage pour échapper à mon père, pas pour trouver ma mère. Je ne penserai même pas à ma mère. Quelque part le long de la Route 1, bien avant Nha Trang, je crois que les choses s'éclairciront toutes seules.

Je tourne le dos à la voiture. Je regarde autour de moi. Les conducteurs de *xich lo* sont rassemblés au milieu de leurs véhicules, se disputant à propos de quelque chose. Le portier du Rex regarde au bout de la rue. Personne n'a vu mon acte contre-révolutionnaire. Je m'installe à l'avant, côté passager. Dès que je ferme ma portière, j'entends claquer le coffre. Je regarde Ben à l'arrière. Je veux qu'il soit souriant, heureux de ma caresse. Il ne l'est pas. Ses yeux sont très tristes.

Je dis : «Excuse-moi.

— Pour quoi ?

— De t'avoir touché.»

M. Thu est en train d'ouvrir la portière côté conducteur, ignorant de ce que nous disons en anglais.

«Ne sais-tu pas de quoi j'ai peur ? dit Ben.

— Évidemment, je le sais.»

La portière se referme. M. Thu est à côté de moi.

Ben se penche en avant et me touche l'épaule, juste du bout de ses doigts, puis de nouveau il s'enfonce profondément dans son siège, les yeux tournés vers la fenêtre latérale. Je dis à M. Thu de nous conduire chez lui.

M. Thu vit dans un endroit où j'ai emmené de nombreux officiels et hommes d'affaires étrangers, un Nouveau Quartier économique où le développement rapide de la république socialiste du Viêt-nam est très évident. Il y a beaucoup de rues, qui seront bientôt pleines d'enfants et d'arbres, où de beaux immeubles, construits avec le meilleur ciment Portland sorti des usines modernes de Can Tho, brillent au soleil de toute leur blancheur. Nous descendons une de ces rues et nous nous arrêtons. Avant que M. Thu ne sorte, lui et moi parlons un peu en vietnamien — il me remercie pour ce temps libre, parce qu'il a un enfant malade et que les deux frères de sa femme et leur famille sont venus de Hanoi en visite, et je le remercie de me laisser la voiture — et tout en parlant ma langue maternelle, je me sens très bizarre. Je pense très fort que Ben ne comprend pas ce que je dis ni ce que j'entends. Et j'entends même l'anglais dans ma tête comme une chose étrangère, des mots sur la production de ciment et le développement économique. Je sais que je ne pourrai pas toucher Ben quand M. Thu sera parti, bien que ce soit ce dont mon corps meure d'envie. Ce sentiment étrange se révèle à moi : je me sens brusquement comme quelqu'un qui ne sait pas qui il est.

Et puis M. Thu est sorti de la voiture, il s'éloigne et je le regarde jusqu'à ce qu'il ait disparu dans un de ces appartements modernes de l'État socialiste. Je reste assise un instant, même après qu'il est parti et je ne dis rien, je ne regarde pas vers la banquette arrière. Ben est silencieux, lui aussi. C'est moi le fantôme maintenant. Je pense à ce que ce doit être pour mon père, de regarder quelqu'un qu'il aime sans langage avec lequel parler ni corps avec lequel toucher.

Et puis Ben prononce mon nom. « Tien. »

Je me retourne. Il glisse en avant sur la banquette. Nos visages sont tout proches. J'attends mais nous ne nous rapprocherons pas plus que ça. Alors je lui demande : « Tu es prêt ?

— Oui.

— Crois-tu pouvoir conduire sur les routes vietnamiennes ?

— Tu oublies ce que je faisais ici.

— Mon chauffeur routier.

— Je connais les règles. Ne jamais s'arrêter. Ce qui est petit cède le pas à ce qui est gros.

— Tu es prêt à être aussi dangereux que mes compatriotes. »

Il sourit à ce que je dis là. Je suis contente. Il sort de la voiture, la contourne et se glisse derrière le volant, à côté de moi.

J'empoigne le volant et c'est une chose fantastiquement familière. Conduire et ne rien ressentir.

« Qu'as-tu fait ces trois jours ? » C'est la voix de Tien, je me tourne vers elle, en essayant d'entendre ce qu'elle a pu dire.

Finalement je réponds : « J'ai regardé un ventilateur à pales tourner au plafond.

— Je n'ai pas de ventilateur à regarder. Je n'ai que des touristes et des prières à un homme qui, peut-être, je crois, ne m'entend plus. »

Mes mains font démarrer la voiture. Je veux conduire maintenant.

Même si ce n'est pas un camion et une grande route. C'est une Fiat avec un autocollant Saigontourist sur la vitre arrière et une rue étrangère bordée par un vilain bloc d'appartements. Puis une autre rue, à travers un champ défriché attendant davantage de ciment, puis une autre, remplie de motos qui frôlent des étals de marchandises branlants, des restaurants et des labyrinthes de maisons en bois de récupération et en tôle ondulée. Elle me dit où tourner, mais rien d'autre. Je suis content. Je veux tenir un volant et rouler dans le silence qui a été ma vie pendant des années. Même en allant doucement. Même avec des jeunes hommes à grandes mèches de cheveux noirs et des jeunes femmes à lunettes de soleil qui regardent par tous les bouts pendant que j'avance au pas pour me retrouver dans une autre foule de nouveaux regards. Pas de problème. Je tiens le volant, j'avance, je coupe la climatisation, je descends la vitre et laisse entrer l'odeur des gaz d'échappement, une odeur de la route, et j'ai un endroit où aller, un endroit devant moi qui résoudra tout ça.

Finalement la circulation de la ville se dégage un tant soit peu, la route s'élargit un brin, et bien qu'elle soit pleine de nids-de-poule, de chars à bœufs et de camions qui se faufilent devant moi ou déboîtent de la voie d'en face et forcent le passage, je peux quand même avancer un peu, je m'affale sur le klaxon, les femmes à bicyclette, les minuscules bus Lambretta à trois roues et toutes les motos me cèdent le passage. Je reste simplement à distance des camions, ce sont des machins qui puent, pour la plupart, des vieux deux tonnes et demie ou des vieux véhicules utilitaires De Soto et Jimmy, avec des réservoirs d'eau en camelote sur le toit de la cabine et une tuyauterie en cuivre qui descend alimenter le moteur, faisant le boulot de radiateurs depuis longtemps disparus et qui ne peuvent être remplacés.

Et puis nous voilà plus loin hors de la ville, en direction de l'endroit où devait se trouver Long Binh, un énorme camp de base militaire au nord-est de Saigon, l'endroit par où nous passions tous en route pour la guerre. Il y a des panneaux d'affichage : une gigantesque représentation d'un morceau de tuyau en PVC, un tube géant d'un quelconque dentifrice de Hong Kong, et un panneau qui implore : FAITES DU GOLF AU VIÊT-NAM. Et puis il y a un virage menant là où, annonce le panneau, on est en train de construire le Viêt-nam International Golf Club. J'essaie de deviner quelle distance nous avons parcourue, pour voir s'ils le construisent juste sur le pas de la porte que nous utilisions pour tous les gars qui venaient se battre au Viêt-nam. Mais je ne crois pas que le gouvernement qui a inculqué tous ces petits couplets idéologiques à Tien aurait le sens de l'humour pour ça.

Je pense à elle. Je regarde. Elle a le visage tourné vers la course précipitée de la campagne. Une rizière inondée maintenant. Des femmes, là-bas, en chapeau de paille conique penchées sur leur tâche, jusqu'aux chevilles dans les plantes basses et vertes. Et un gamin près de la route sur le dos d'un buffle d'eau. Je tourne les yeux vers la grande route et fais une embardée pour éviter un nid-de-poule aussi gros que la tête du buffle.

Mais c'est bon d'être sur la route. Elle défile, même s'il faut esquiver, klaxonner et céder le passage. La vie s'écoule. On passe des heures qu'on ne saurait pas comment passer si on était assis sans bouger quelque part. Et j'ai dû rater ce qui peut bien rester de Long Binh, parce que nous traversons une ville qui s'appelle Honai et qu'il n'existait rien de tel entre Saigon et le camp. Nous avançons de nouveau au pas, mais on bouge quand même. Quatre églises catholiques presque l'une après l'autre. Et pas de portraits de Hô par ici. C'est une campagne que je n'attendais pas.

Et puis de nouveau la route et des hévéas, une plantation, la course rapide des rangées d'arbres profondes et régulières, leurs troncs blancs portant tous les mêmes entailles sombres, et une tombe là-bas, un petit monument de pierre dans les arbres. Je le suis des yeux et de nouveau je vois Tien, elle regarde, elle aussi, et se retourne pour voir la tombe. Je pense à lui parler. Au moins pour expliquer mon silence, bien que ce soit certainement mieux pour elle aussi. C'est un genre de caresse, notre bavardage. Ce voyage est dur pour elle et j'en suis tout à fait navré. Mais les hévéas disparaissent et maintenant il y a une mare, je me tourne vers la route, elle rétrécit, quelque chose s'enclenche dans ma tête et une fois de plus Tien s'éloigne de moi. La mare — je regarde de nouveau avant qu'elle ait disparu — la mare forme une courbe qui s'éloigne de la grande route et part vers le nord, elle a une forme de faucille et le soleil y flamboie puis disparaît, la mare disparaît, je connais cet endroit. Devant, la route a rétréci mais les rangées d'arbres ont repris, à une centaine de mètres en arrière peut-être, des deux côtés.

Et brusquement ça me paraît être l'endroit. Je ne me suis jamais souvenu de ces choses — les hévéas, la lame incurvée d'une mare, le rétrécissement de la Route 1 — même dans mes rêves de ce jour-là. Pourtant maintenant c'est évident. Je ralentis, je quitte la route, le bas-côté est étroit mais je me faufile plus loin, la roue regimbe un peu sur le sol inégal, et je m'arrête.

« Qu'y a-t-il ? » demande Tien.

Je sors de la voiture. Un camion passe comme un éclair, loqueteux et vert militaire, son klaxon beugle avec un effet Doppler au bout de la route. Je regarde, il est plein de foin mais c'est quand même un deux tonnes et demie, un camion d'un quelconque ancien convoi, et je sais où je suis, j'en ai la certitude maintenant, une flopée de motos passent à toute vitesse, une voix flotte dans l'air, hurle des mots sans signification. Je commence à traverser la route. En me dépêchant avant qu'un autre camion arrive du nord. J'ai quitté la route et l'appel d'air du camion me gifle, je patauge dans les broussailles, je m'arrête, il aurait pu se tenir là.

Je me retourne. Je me tiens exactement comme il se tenait, le type blond à qui il manquait le bras. J'attends. Les bruits venus de la grande route sont faibles à présent. J'attends que quelque chose se clarifie. J'essaie de le voir de nouveau. Cela fait un an ou plus que j'ai rêvé de lui. Mais alors, il était très net. Et deux ans auparavant, net. Mais il est confus maintenant. Que c'est étrange, de trouver cet endroit à cause de nouveaux souvenirs, des souvenirs restitués — la mare, la plantation —, mais maintenant que je me trouve de nouveau

158

à cet endroit, l'homme qui a rendu tous ces souvenirs importants s'est effacé. Je ne vois plus son visage, tout est obscurité, tandis qu'il regarde ce qui lui est arrivé. Il est une silhouette, estompée par le soleil.

Je lève les mains. Je les regarde fixement devant moi. Mes deux mains. Et puis je regarde de l'autre côté de la route. Le visage de Tien flotte dans la vitre de la voiture. Tien s'est glissée sur le siège du conducteur pour apercevoir ce je peux bien fabriquer là-dehors sans un mot d'explication pour elle, ses yeux sont nets depuis l'endroit où je me tiens, sombres et fixés sur moi, et je la sens sur les paumes de ces mains. Je suis au Viêt-nam, là où je suis parti à la guerre pour mon père. J'ai vu une image ici, dans ce champ précis, une image qui s'est accrochée à moi non pas par son horreur ni son étrangeté, mais pour la façon dont elle concordait avec tout ce que j'avais ressenti jusque-là et tout ce que je ressentirais ensuite pendant des années. Et maintenant elle n'est plus là. Plus là. Et à sa place il y a cette image, de l'autre côté de la route. Le visage de cette Vietnamienne, qui m'observe, qui m'attend, elle m'a ouvert son corps et, à l'intérieur, l'autre image s'est dissoute. Une grosse masse sombre efface son visage, le passage en un éclair d'un camion, et pendant cet instant le type est là de nouveau, comme l'éclat de la première roquette de l'attaque, le visage paisible, si ce n'est le froncement perplexe de son front, et le camion a disparu et à la place il y a Tien. Perplexe, elle aussi, je le sais.

Je passe dans les broussailles, prends pied sur le bas-côté, je regarde, une Lambretta arrive et une moto, à droite c'est un bus provincial, jaune vif et vert, des gens s'accrochent aux portières et sont suspendus hors des fenêtres, mes jambes ne s'arrêtent pas, je ne peux pas attendre de traverser pour rejoindre Tien, des klaxons s'égosillent des deux côtés et maintenant je fonce, de toutes mes forces, je sens sur mon dos le petit bout du pan de l'*ao dai* d'une femme à moto, la calandre du bus s'enfle près de moi, je la sens sur mon visage et je fonce en avant, il passe en traînant derrrière lui des voix et je trébuche sur le sol inégal, je tombe, paumes et genoux s'engourdissent et puis c'est la poitrine dans les broussailles.

Elle est à côté de moi. Ses mains sur mon visage, sur mon dos, sur mes bras, qui tâtent et se déplacent, sa voix les accompagne. « Ça va, mon Ben ? Qu'y a-t-il, mon amour ? »

Je suis assis maintenant, à m'épousseter la poitrine, elle me prend le visage dans ses mains, ses caresses sont comme des baisers, comme si on s'embrassait, et pour le moment ça va, pour le moment ma peur est absente, il n'y a que la libération du garçon dans le champ, que les mains de Tien sur moi. J'en prends une, la retourne et embrasse la paume.

« Oh là là, dit-elle.

— Je suis désolé.

— C'était pour quoi ?

— Le baiser ?

— J'espère savoir pour quoi il était. L'autre.

— Je me souvenais de quelque chose.

— Tu t'es souvenu de courir devant un bus ? » Elle me pince les deux joues à ces mots, comme une mère qui gronde un enfant. Je suis surpris par le soulagement que me procure ce geste.

Ses mains se retirent. Je la regarde dans les yeux. Ils sont calmes, doux de ce que je sais être son amour pour moi.

Je dis : « Je t'ai laissée là sans un mot. Je voulais m'expliquer.

— Tu aurais des tas de choses à expliquer si tu mourais là. Je te ferais subir un interrogatoire serré, Benjamin Cole.

— Refais-le, dis-je.

— Quoi ?

— Me pincer les joues quand tu me grondes. »

Elle penche la tête, sourit de ce demi-sourire qui a été ma première vision d'elle.

Elle lève les mains, me tord les joues, bien que le soulagement de ce geste ait maintenant disparu. Elle dit : « Mon père est assez jaloux comme ça. Imagine s'il devait partager mon autel avec toi. »

Je lève les mains moi aussi, couvre les siennes. Elle plaque ses paumes contre mon visage. Nous restons ainsi jusqu'à ce qu'une mobylette passe en pétaradant et que des voix nous appellent à grands cris. Elle ne fait même pas mine de comprendre, mais elle dit : « Ici c'est un lieu public, mon Ben. Et ça ne fait pas partie de notre voyage organisé, ces caresses. »

Nos mains retombent. Je me hisse sur mes pieds. Je regarde une fois de plus de l'autre côté de la route. L'endroit est sans caractère, un champ loqueteux, des arbres au loin.

Je la sens s'approcher de moi. « Ben, dit-elle doucement.

— Oui ?

— Devrions-nous continuer ? Ou retourner dans un endroit privé ? »

Je la regarde. L'espace d'un instant toute cette histoire a été mise de côté. Et même maintenant le désespoir a disparu. Mais quand elle pose la question, quelque chose de la question plus obscure demeure. « M'as-tu dit que Nha Trang a une très jolie plage ?

— Oui. Il y a des lieux privés sur la mer de Chine méridionale.

— On va y aller. Peut-être seulement pour la plage. »

Elle ne parle pas, mais j'entends un son sortir d'elle, une chose douce, un flot de son souffle dont je voudrais qu'il soit sur ma poitrine nue.

Nous nous avançons vers la voiture, et quand nous sommes à l'intérieur, assis côte à côte, et que ma main s'apprête à tourner la clé de contact, elle dit : « Alors c'est pour expliquer quoi que tu t'es jeté dans la circulation ? »

Je n'ai pas de mots pendant un moment. J'attends. Je serre le volant dans mes mains et j'attends. Finalement, je dis : « Le passé. J'essaie de m'en détacher.

— C'est très bien », dit-elle. Et sa main passe furtivement sur le siège, me touche la cuisse et puis se retire de nouveau.

Je ne sais pas trop ce que nous devons faire une fois que Ben a essayé de se détacher d'une certaine partie de son passé, là, sur le bord de la route. Il ne sait pas trop non plus, je pense. Alors j'essaie de me forcer à ralentir. Je me sens tout à fait comme une nouvelle femme socialiste, une travailleuse sur un pied d'égalité dans le nouvel ordre social, ce qui signifie pour moi qu'on peut toucher son mari quand on veut et qu'on n'a pas à attendre qu'il le décide. Mais je dois aussi songer à ses sentiments à lui.

J'ai pensé *mari*. Je ne peux pas réprimer un sourire à ce mot. Je me dis que je devrais ralentir, et même dans la façon de le formuler, je vais très vite. Je regarde par la fenêtre et je pense qu'à Nha Trang, au bord de la mer, dans le vent venu de la mer de Chine méridionale, tous les esprits du passé seront emportés au loin, et Ben et moi trouverons ensemble un endroit isolé.

Pour le moment, je garde les mains sur mes genoux et le regard sur la fenêtre. Peut-être que je somnole. Je

n'ai pas bien dormi ces trois nuits et mes yeux s'alour-
dissent. Sur les bords de la grande route, des femmes ont
étalé du riz à sécher, et c'est de la racine de manioc qui
sèche là, les copeaux blancs qu'elles utilisent comme
farine, et puis maintenant c'est du café et je sais avec
certitude que j'ai dormi, parce que nous franchissons les
montagnes de Long Khanh, au-delà de Xuan Loc, une
ville que j'ai ratée, qui a été un champ de bataille où nos
forces nationalistes ont remporté beaucoup de victoires,
et sur le côté de la route les grains brun foncé sont éta-
lés pour sécher et l'odeur du café emplit l'air.

Je tourne mon visage vers Ben. Je l'observe pendant
un moment sans qu'il le sache. Il est très absorbé par la
route. Ses mains sur le volant sont grandes, les mains de
mon camionneur, qui connaissent mon corps, qui font
partie de mon propre corps. Il y a des ombres qui filent
au-dessus de nous. Je regarde dehors, nous roulons sous
des eucalyptus qui bordent les deux côtés de la grande
route, leur corps blanc, leurs bras minces tombant
comme ceux de mères en deuil, et en dessous quelques
petites filles en *ao dai* blancs sur des bicyclettes. Ben
roule doucement à présent parmi ces enfants.

Ça m'amène à parler, à dire n'importe quoi, simplement pour le caresser avec ma voix. « Ce sont des eucalyptus, dis-je. Une huile provient de cet arbre, que nous
utilisons quand nous sommes malades. »

D'abord il ne paraît pas m'entendre. Je regarde devant
moi, nous dépassons les dernières fillettes à bicyclette et
puis un char à bœufs, nous voilà libérés des arbres aussi,
et maintenant je n'attends aucun mot en retour, mais il
dit : « Il y a des eucalyptus en Californie, le long des
autoroutes, pour arrêter le vent. »

Ces mots me rendent heureuse comme s'il m'avait
tout à coup embrassée. Mais quand même, j'entends sa
voix faire de gros efforts pour parler. Je regarde une

tache dans le ciel, loin devant nous, près d'un bosquet d'anacardiers. On dirait que c'est un grand oiseau qui plane, suspendu immobile contre le ciel. Nous nous approchons et l'oiseau part d'un côté et puis revient de l'autre avec une secousse, alors je sais que c'est un cerf-volant. Il y a un enfant, invisible à nos yeux, au-delà des arbres.

« Tien, dit Ben à voix basse. Excuse-moi si je suis silencieux. J'ai conduit la moitié de ma vie, ou presque, et ça a toujours été en silence.

— Je comprends. »

Nous longeons les anacardiers. Le ciel est vide maintenant. Je prends cette explication pour un acte d'amour.

Il dit : « Il y a un point silencieux en moi, depuis que je me suis arrêté sur le côté de la route. Je veux le conserver. Je le veux quand nous arriverons à la mer.

— Oui, dis-je. C'est une bonne chose, ce moment silencieux. » Je lutte avec mes mains pour les garder où elles se trouvent, sur mes genoux. Cette fois-ci, elles obéissent. Maintenant j'essaie à mon tour de trouver en moi ce point silencieux.

Ainsi, ensemble, Ben et moi devenons le paysage qui défile à toute allure. De la terre rouge, la fumée des fours à briques, des piles de briques le long de la route, et des tuiles. Et à Phan Thiet des antennes de télé sur des mâts en bambou et dans l'air l'odeur du nuoc-mâm, notre merveilleuse sauce de poisson qu'on fabrique dans la ville, et puis, au-delà, les marais salants avec leurs petites digues de boue brune, les grands carrés d'eau de mer et les tas de sel blanc plus hauts qu'un homme, et puis de nouveau les rizières et dans l'air l'odeur de la paille de riz qui brûle, un fourmillement de canards qui picorent les champs humides après la récolte, puis les cocotiers, puis les monts Truong Son à l'ouest. Les montagnes se déploient et nous serrent près de la mer. Et la mer est là pour les yeux de Ben, notre première vision d'elle ensemble, la mer de Chine méridionale, soudaine et vaste, émergeant de derrière les dunes, étincelante sous le soleil, elle est du vert sombre du jade le plus précieux.

Maintenant je lance un regard furtif à Ben, son visage est tourné vers moi, bien que ses yeux soient déjà sur la pleine mer. Il me jette un coup d'œil, puis regarde au large, puis regarde la route. « Nous allons la perdre de nouveau pendant quelques heures, non ? » dit-il, et je sais qu'il parle de la mer.

« Oui. »

Nous continuons. Nous ne nous arrêtons que brièvement à un étal de bord de route pour manger, nous nous asseyons sur de minuscules chaises en plastique à l'ombre d'un parapluie et je garde les yeux loin de Ben, parce que ses genoux sont presque à la hauteur de ses oreilles, tel qu'il est assis sur ce truc prévu pour un Vietnamien, et j'aime bien sa taille, j'aime bien qu'il ait l'air drôle sans même s'en rendre compte, mais c'est le genre de choses que je dois laisser de côté pour l'instant. Pourtant, je recommence à être aux anges, comme l'après-midi où je me préparais à lui faire l'amour, bien que nous n'ayons pas fait l'amour ce jour-là, la préparation était une chose délicieuse, et maintenant je ressens la même chose. Nous roulons vite. Nous serons au bord de la mer près de Nha Trang avant que le soleil ait disparu.

Donc nous reprenons la route et bientôt nous passons devant du tabac qui sèche sur des séchoirs, les grandes feuilles vertes pareilles à des oreilles d'éléphants, et je pense qu'ils doivent quelque part brûler les débris parce qu'il y a brusquement une forte odeur de tabac autour de nous, et Ben remue à côté de moi. Je regarde, il s'est un peu soulevé sur son siège pour fouiller dans sa poche, et il en tire un paquet de cigarettes. C'est une surprise pour moi. Je ne l'ai jamais vu fumer. Il ne quitte pas la route des yeux. Il ne sort pas de cigarette. Il tient le paquet un instant, comme s'il y réfléchissait, et puis il le jette sur le siège arrière.

Et qu'est-ce qui peut bien chuchoter dans mon corps à ce moment-là ? Je suis une femme pratique, une bonne citoyenne d'un État marxiste sérieux, et cette partie de moi dit que c'est ce que j'ai mangé sur le bord de la route qui dérange mon corps, c'est tout, et peut-être aussi l'odeur du tabac qui me donne une petite impression de déséquilibre, puisque je n'ai jamais fumé une cigarette de ma vie. C'est peut-être même une idée futile, un problème de santé publique, puisque l'homme que j'aime — l'homme dont je crois, dans un coin bien fermé de mon cerveau, qu'il vivra avec moi pour toujours — vient de rejeter l'idée de fumer une cigarette. Je sais que la fumée d'une cigarette peut être nocive pour les autres, surtout les gens fragiles. Toutes ces choses peuvent être ce qui fait pivoter mon visage vers le paysage et me chuchotent un message important, tellement important que dès que la réflexion me vient j'ignore le message lui-même, et que je commence à tourner et à tourner autour de l'idée que ça n'a pu être provoqué que par une indigestion ou une histoire sans gravité. Et même en sachant que c'est la pensée elle-même que j'évite, je continue à essayer de la mettre en doute. Ça pourrait être une illusion : je viens de voir une femme Cham qui marchait devant nous, nous l'avons dépassée à toute allure, je me suis retournée pour la voir et elle portait un bébé sur sa poitrine, dans une poche. Les Cham viennent d'autres ancêtres que les autres Vietnamiens. Ils sont hindous. Ils ont un dieu nommé Shiva qui est très puissant, très effrayant à voir et qui attend pour détruire le monde, et je peux certainement comprendre que Karl Marx n'ait pas tellement apprécié la religion quand j'entends parler de ce dieu, moi non plus je ne veux pas croire en ce

166

dieu. Peut-être que cette femme, son dieu et son bébé sont ce qui me donne cette sensation à propos de mon corps.

D'ailleurs comment le message le plus important de ma vie peut-il m'être chuchoté en un moment comme celui-ci ? Pourtant c'est possible. C'est possible. Car bien que je sois dans une voiture Saigontourist et que je regarde deux chiens hirsutes courir à côté de nous et aboyer à la lisière de ce village, bien que j'aie un peu mal au ventre à cause de la soupe que j'ai mangée sur le bord de la route et que j'aie la tête qui tourne un peu à cause de l'odeur du tabac, il y a cinq jours que Ben et moi avons fait l'amour et maintenant, tout à coup, il y a quelque chose plus loin dans mon corps que je sens nettement, quelque chose, comme une modification dans mes os, comme une accélération dans mon sang, quelque chose.

Mais je suis une femme moderne et lucide. Je sais des choses sur le corps d'une femme. Alors je compte les jours, une idée qui ne m'est pas venue à l'esprit jusqu'à maintenant. Entre cette nuit-là et mon prochain saignement, ça fait deux semaines.

Je reste là avec ça pendant un moment.

Il n'y a pas de pensée dans ma tête.

Mais il y a une ombre profonde tout autour de moi, un endroit secret à l'intérieur d'un banian où je suis moi-même une enfant et où j'ai ma première pensée la plus frappante d'une femme qui donne la vie : une princesse pondant une centaine d'œufs. Je sais que Ben est tout près — je le sens à côté de moi ; il est là, énorme — mais le monde qu'il remplit est juste au-dehors du tronc-racine de cet arbre où je suis, où j'écoute l'histoire du dragon et de la princesse, et c'est Tien l'enfant qui écoute, mais je suis là aussi, Tien l'adulte, et je suis à l'intérieur de l'enfant, attendant qu'elle me donne la vie.

Nous sommes des boîtes chinoises, l'arbre, Tien l'enfant, moi. Et mon bébé.

Maintenant j'essaie de revenir à la voiture. Je me penche par la fenêtre vers la bouffée d'air, je ferme à demi les paupières dans l'après-midi éclatant, l'air plein de l'odeur des feux de bois, un village quelconque hors de vue. Je ferme les yeux. Je pose les mains sur mon ventre et Ben est tout près. Je pourrais tendre la main et le toucher, mais je ne le regarde même pas pour l'instant. Sa présence me rend très heureuse mais elle m'emplit aussi de terreur, car il y a des questions que je ne commence même pas à laisser entrer dans ma tête, même des questions simples sur l'endroit où j'habiterai pour le restant de mes jours, dans quel pays, des questions que je rejette loin de moi, y compris la question de quoi dire à Ben. Rien. Pour l'instant, rien. Je ne dérive pas de nouveau vers le banian, mais je pense quand même encore une fois à la princesse des fées. Comment elle a pris en elle la semence d'un dragon, et comment elle a dû se demander quel enfant en résulterait.

La route se poursuit et bien qu'il n'y ait pas de ligne blanche et pas de vraie course, ça me fait vraiment du bien. Les choses sont nettes dans ma tête ici, avec un moteur devant moi et un endroit où aller. Et Tien est toujours à côté de moi. Elle n'a pas disparu pour que j'aie cette sensation-là. Et c'est ce qu'il y a de meilleur. Je n'ai pas besoin de me retrouver seul pour rendre les choses simples. Tien m'aime. Je l'aime. Nous sommes ensemble sur la route. La nuit tombe. Ça se résume gentiment à ça.

Et pourtant, je ne nous fais pas reprendre la route de Saigon. Je n'ai pas envie de lâcher le volant. Là, sur la Route 1, je vais m'endormir et me réveiller demain avec d'autres kilomètres à parcourir. De retour à Saigon, il n'y a que le ventilateur à pales ou cette chambre de Tien, dont elle pense qu'elle faisait partie de ma petite frayeur, et c'était peut-être ça. D'où qu'elle fût venue et aussi désagréable fût-elle, en fait cette panique valait la peine, me semble-t-il à présent, puisqu'elle nous a lancés sur la route ensemble, Tien et moi. Conduire a été ma solution pendant si longtemps que pouvoir emmener Tien était une chose nécessaire pour nous deux, afin de tout reprendre à partir de là.

Je suis content que ma mère m'ait fait lire tous ces bouquins. Je crois que j'en ai gardé quelques trucs, à force d'entendre toutes ces voix. Mais elles me servaient à que dalle quand il s'agissait du train-train emmerdant de la vie de là-bas. J'ai dit à Tien que conduire un camion ne résolvait rien non plus, et c'est juste, à longue échéance. C'est vrai. C'est pour ça que le fait qu'elle soit assise là près de moi, pendant que nous remontons la Route 1, compte tellement. Mais il y avait un endroit où j'allais parfois à l'intérieur de moi, en roulant sur les autoroutes, où le silence était confortable, où être seul était une chose naturelle, et c'était habituellement la nuit, je regardais la voie se fragmenter dans mes phares et devenir un genre de mantra ligne blanche et il n'y avait plus que ce doux tic-tac dans ma tête, avec ces lignes blanches qui défilaient, et ça allait bien. Et puis j'arrivais dans un resto routier et j'entrais, une vieille femme somnolait derrière la caisse, un ou deux types peut-être étaient penchés sur un café, je louais une cabine de douche, longeais un couloir inondé de lumière blanche, déverrouillais une porte et suspendais la clé au crochet, je me déshabillais, faisais couler l'eau et la saleté de la route se détachait de moi, l'eau était presque aussi agréable et bonne qu'une douche au Viêt-nam, où l'on pensait qu'un truc aussi simple que ça, une foutue douche, ne pourrait jamais être de nouveau aussi bonne de toute notre vie. Mais une fois de temps en temps elle l'était presque, sur l'autoroute.

Le soleil descend, il n'y a que des marais salants et des mares à crevettes qui défilent sur le côté est de la route. La mer de Chine méridionale n'a pas réapparu. Je me tourne vers Tien. Bien que j'aie été conscient de sa présence, et que j'en aie été heureux, je ne l'ai pas franchement regardée depuis un bon moment. Elle a les mains réunies en ogive devant elle, paumes jointes, son menton reposant sur le bout de ses majeurs. Ses yeux sont fermés. Il y a un léger sourire sur son visage. Elle pourrait être en train de dormir, de prier ou de jouer une belle musique dans sa tête, quelque chose de très intime. Je ramène mon regard vers la route et n'ouvre pas la bouche.

Mais d'une façon ou d'une autre elle sait. Elle dit : « Veux-tu t'arrêter ? »

Je la regarde de nouveau. Ses mains se sont posées sur ses genoux. Son léger sourire s'est tourné vers moi. Je dis : « Nha Trang n'est pas loin, non ?

— À moins d'une heure. Veux-tu demeurer en ville ?

— Y a-t-il un endroit plus intime, au bord de la mer ?

— Nous pouvons remonter vers l'est. Il y a une petite route qui mène au rivage.

— Qu'y a-t-il là-bas ?

— Une villa qui appartenait autrefois à… j'allais dire à un membre du gouvernement fantoche du Sud. Je me suis reprise. Ne suis-je pas une femme différente ?

— Oui. Et je suis un homme différent. » Je pose la main, paume vers le haut, sur le siège entre nous, sa paume se pose sur la mienne et ses doigts se referment avec douceur, ça fait comme l'amour, pour la première fois depuis des jours nos corps se touchent vraiment, ça passe en moi à toute allure et j'écrase l'accélérateur.

Droit devant sur la grande route elle me fait signe et nous bifurquons, c'est une piste pleine d'ornières où l'on avance doucement, et puis, enfin, je sens l'eau salée et nous franchissons une petite hauteur, la mer de Chine méridionale est devant moi, qui maintenant s'assombrit à la tombée du jour.

«Là-bas», dit-elle, et tout à fait à droite il y a une vaste maison construite au petit bonheur qui fait face à la mer, je tourne dans un chemin de coquillages bordé de palmiers, je grimpe vers l'allée de devant et je m'arrête. Tien me dit d'attendre, elle sort de la voiture et je coupe le moteur. Il y a encore l'allure très ralentie de la route dans ma tête et la vibration du moteur dans mes bras, mais il y a aussi un détachement. Mes épaules s'avachissent, la voiture cliquète et j'entends la mer de l'autre côté de la villa. Je pose mon avant-bras sur le volant, mon front contre mon bras et j'attends, sentant sur moi le lourd manteau de la route, voulant m'en défaire. Je suis prêt à être nu de nouveau avec elle.

Et puis la voilà à ma vitre, penchée tout près. «Laisse la voiture ici, dit-elle. Nous avons une chambre.»

Je devrais nous réserver deux chambres, pour les apparences, mais je dis à la femme qui tient la pension de famille que nous sommes mariés, que nous sommes M. et Mme Benjamin Cole, et je crois que c'est vrai, d'une certaine façon. Je ne suis pas sûre que la femme me croie, mais ça m'est égal. Je veux tellement que Ben dorme dans mes bras ce soir.

Ben et moi contournons la maison à pied, nous passons sous la galerie et brusquement la mer s'étend, immense, devant nous. Vers le nord la plage s'arrondit en direction de Nha Trang, qui est invisible au-delà des gros contreforts de je ne sais quelles collines, au loin dans une courbe. Il n'y a personne sur le rivage. Loin sur la mer il y a une petite file de quatre bateaux de pêche, qui rentrent à Nha Trang. Leurs moteurs cognent faiblement par-dessus le bruit effréné des vagues. J'ai juste commencé à écouter ce bruit, qui est une chose familière, quand Ben dit : « C'est comme les motos à Saigon. »

Je le regarde. Il lit dans mes pensées maintenant, pas même dans mes pensées, il lit dans mes oreilles. « Elles seront bientôt parties », dis-je.

Il regarde vers le sud et moi aussi. À peut-être un demi-kilomètre de là, ou davantage, il y a une silhouette sur la plage, mais elle n'est pas nette. Autrement il n'y a personne. La terre le long de la mer s'aplatit et s'étire au loin. Ben aspire une lente bouffée de cet air suave. Maintenant j'essaie de nommer sa pensée.

Je dis : « Nous sommes seuls sur cette mer.

— Oui, dit-il. Ça donne cette impression. »

Je ne me trompais pas sur ce qui se passait en lui. Je souris. « Personne d'autre que nous ne reste ici cette nuit. Les touristes qui viennent ici continuent vers Nha Trang, je pense. »

Il se tourne vers moi tout à coup. « Alors viens. On y voit encore. »

Il laisse tomber son sac par terre et me tend la main. Je lève une main, je m'avance vers la sienne, et avant même que nous nous touchions j'ai l'impression d'avoir un corps fantôme dans celui que Ben peut voir, ma main s'approche de la sienne et le corps qui est à l'intérieur, qui normalement prend toute la place en moi, s'est détendu pour lui, et puis le bout de nos doigts se touchent et je commence à trembler à l'intérieur de ma peau. Sa main attrape la mienne avec fermeté, nous traversons un bout de terrain herbeux et passons sur la plage, sur le sable gris et très tassé, Ben me lâche la main, ôte ses chaussures et les laisse tomber. Je retire mes chaussures aussi, en sachant que je vais abîmer mes bas, en pensant à lui demander de retourner à la villa, dans notre chambre sous la galerie face à la mer, pour un bref instant seulement, pour que je puisse ôter ces vêtements de guide. Mais il cherche de nouveau ma main à tâtons avec une impatience qui me donne l'impression que nous sommes deux enfants et je m'en veux, de penser à mes bas.

Il bouge vite maintenant, il court presque, je cours avec lui et tout ce que je pense c'est que mes bas devraient aller au diable, ma vie a changé, et maintenant tout ce que je regrette à propos de mes vêtements, c'est de ne pas les avoir enlevés.

Nous sommes au bord de l'eau, les vagues bouillonnent et nous giflent, nous nous tournons vers le nord, où il n'y a même pas l'ombre d'une silhouette lointaine, nous avançons ensemble le long de la mer de Chine méridionale, l'eau nous éclabousse les chevilles et je dis : « Attends. »

Nous nous arrêtons et de nouveau je regarde devant, derrière, et même la petite tache au sud, qui aurait pu être une personne, a disparu, vers l'ouest il n'y a que des dunes, des rochers et le moutonnement des montagnes vers la mer. Nous sommes seuls. Alors je soulève ma jupe, avec mes pouces je trouve le bord de mon collant, j'attrape seulement le collant et pas mon slip en dessous, je le retire et le roule détrempé et déchiré, sors un pied, puis l'autre, et mes cuisses, mes jambes, mes chevilles et mes pieds sont nus, je jette le collant dans la mer — qu'un crabe s'y installe — et je laisse retomber ma jupe. Je regarde, Ben s'est retourné pour observer ça. Il lève les yeux vers les miens, il sourit, et puis j'ai le souffle coupé quand il tombe en avant à genoux devant moi, il soulève de nouveau ma jupe, il se penche et je sens ses lèvres sur un genou et puis sur l'autre, je lève la tête vers la bosse des montagnes au loin et ma jupe remonte, il embrasse une cuisse et puis l'autre. Mes mains tombent sur le sommet de sa tête, mais avec légèreté, pour ne pas le décourager. Je regrette maintenant de ne pas avoir aussi ôté mon slip. Je sens vraiment une pression là, sur cet endroit le plus tendre de mon corps, sa bouche est là, mais je ne sens pas la chair de ses lèvres sur moi. J'ôte les mains de sa tête, prête à retirer cette barrière, mais il se relève et ses bras m'enlacent, je suis dans ses bras et sa bouche est sur ma bouche, brièvement, et puis le voilà qui s'est retourné, qui a repris ma main, et un gros paquet de mer nous heurte, grimpe vite le long de ma jambe, fait flotter mon ourlet, jaloux, je pense, du baiser de Ben, voulant aussi m'embrasser là, et nous essayons de rester sur nos pieds, poussés par la mer, et Ben rit, me lâche la main et repart.

Je sais que je dois le suivre, mais cette brusque vision de lui, tout son corps d'un coup, qui avance, est une chose rare pour moi. Je l'ai vu de très près beaucoup plus souvent. La mer aussi s'éloigne de moi à toute allure, et je pars derrière Ben, mais lentement, en remontant un peu sur la plage, en le laissant s'éloigner. Il adore l'eau. Je sens ça chez lui. Il est à vingt ou trente mètres devant moi à présent, il ralentit, les yeux fixés sur le large. Les bateaux de pêche sont tout petits, sur le point de disparaître, le bruit de leurs moteurs s'est atténué jusqu'au silence.

Et maintenant il a ôté sa chemise, qui remonte en volant sur la plage. Il enlève son pantalon et ma respiration se bloque, je pense à faire pareil, à me débarrasser de mes vêtements et à courir vers lui, mais je continue à adorer regarder, il ôte son slip et mon Ben est nu, ses épaules sont larges comme les collines au bout de la plage et son dos est droit, son derrière est petit et mes mains s'agitent, c'est une partie de lui que je n'ai pas encore vue, en vérité, et je veux poser mes paumes sur cette douce partie de lui, et maintenant il entre à grandes enjambées dans l'eau.

Il ne s'est pas retourné vers moi. Il est dans l'eau jusqu'aux cuisses et maintenant son derrière a disparu, il pousse fort et il n'a toujours pas regardé par-dessus son épaule — c'est comme s'il m'avait oubliée — et quelque chose de sombre entre en moi, une chose ancienne, il tombe en avant et je vois l'éclair de ses bras et de ses jambes, il est soulevé par une vague qui ne se brise pas, il tombe et continue à nager et je sais ce qu'est la chose sombre, c'est le dragon, son royaume dans la mer lui manquait tant qu'un jour tout simplement il est parti. La princesse — qui était son épouse et la mère de ses enfants — s'est réveillée et il était reparti vers la mer.

J'ai envie de crier pour appeler Ben. Je fais un pas en avant. Il est loin maintenant — à quelle vitesse il semble être parti — il s'élève sur une lointaine houle, la houle retombe et je ne le vois pas. Il a disparu. Je crie enfin, un son pitoyable, un pauvre son pathétique que personne ne peut entendre, je suis enracinée où je me trouve, je ne peux pas bouger, je suis habillée serré et brusquement je suis seule. Je garde les yeux fixés là-bas, où il se trouvait il y a un instant. J'attends. J'attends. La mer s'enfle de nouveau et retombe, il y a de l'écume et des rouleaux et il y a un ciel immense, qui devient sombre, devient très sombre, et Ben ne reparaît toujours pas. Il est parti. Je me touche le ventre. J'appuie dessus. Je ne veux pas que notre enfant le suive.

Et puis sa tête — au loin — apparaît dans la mer. Il la secoue vigoureusement, chassant l'eau de son visage, et maintenant je l'aperçois qui regarde vers le rivage, il me cherche. Je lève un bras, je l'agite et son bras sort de l'eau, il me fait signe, puis il disparaît de nouveau. Mais avant que l'obscurité puisse me saisir encore une fois, son corps remonte et il nage, vite, se soulevant avec la houle, accélérant et puis retombant, mais je l'aperçois aussitôt après, il nage et monte et descend, encore et encore, et maintenant il se dresse et il patauge vers moi, de l'eau jusqu'à la poitrine et puis jusqu'à la taille.

Je me remets à trembler, car c'est le moment. Je n'ai pas encore regardé cette partie de lui et maintenant c'est le moment. Il bouge, l'eau retombe, une tache de poils sombres apparaît, mais l'eau s'enfle, jusqu'à sa poitrine, le poussant vers moi, et puis soudain la mer baisse et je peux le voir là. Pas tout à fait aussi grosse qu'elle paraissait en moi, cette partie est rétractée dans le cercle du reste de son corps, là-bas, à la manière d'un camée, mais Ben sort de la mer et je sais qu'il grandira à mon contact. Maintenant il sort à grandes enjambées de l'écume des rouleaux et je garde les yeux fixés sur cette partie de lui, il tremble là du même tremblement qui est à l'intérieur de moi, il s'approche et alors même que je le regarde cette partie se transforme, grandit, au contact de mes yeux, ce n'est plus un camée mais un fermoir maintenant, un grand fermoir à relier à moi, pour me tenir serrée et pour m'emporter. Il s'arrête. Je lève les yeux vers son visage, il est trempé et il avance, les mains sur sa poitrine, comme pour se laver avec la mer, il me sourit, d'un sourire doux qui me dit que nous avons tout le temps au monde, tout le restant de nos vies, et il me dit ceci pour que je ne m'inquiète pas tandis qu'il se retourne lentement pour regarder la mer au loin une fois de plus, avant de venir plus près.

Je découvre alors que j'avance vers lui, plus vite, je remonte ma jupe d'un coup sec jusqu'à la taille et je lui saute sur le dos. Je jette mes bras autour de son cou, je noue mes jambes autour de sa taille et il rit d'un rire sonore et perçant, ses poignets passent sous mes genoux et me soulèvent, me soutiennent, et je pense qu'un jour il portera notre enfant sur son dos, mais pour l'instant je suis contente que ce soit moi, il m'emporte en avant et je devine son intention.

Je ris et je crie : « Attends. »

Mais il n'écoute pas, il avance dans l'eau.

Je crie de nouveau : « Attends », mais il perçoit l'excitation dans ma voix et il ne s'arrête pas. Puis je me penche tout près, plaçant ma bouche contre son oreille mouillée et salée. Je dis : « Tu ne veux pas que je sois nue ? » Il s'arrête. Je suis très consciente de ces endroits où notre chair est en contact. Sous ma jambe, le long de ma cuisse, mes avant-bras contre sa poitrine.

Il se retourne et patauge vers le rivage, je m'agrippe à lui et pendant un instant je pense que je sais ce que ça fait d'avoir un père. Je suis petite sur lui et je m'en réjouis parce que la façon dont il est grand me donne une sensation d'être en sécurité, d'être aimée, et fait que je ne suis pas seule, et ce sont de bonnes choses, mais je me réjouis davantage que mes cuisses serrent ses flancs nus, et je me réjouis davantage que mon vrai père ne soit rien d'autre que de la fumée et de l'air, et je me réjouis de savoir où nous allons, hors de l'eau maintenant, il ne s'arrête pas, il se dirige vers le haut de la plage, vers un carré d'herbe rude là-bas, au bas d'une dune. Au-delà, la seule lumière dans le ciel s'étire le long d'une ligne de montagnes déchiquetée, la lumière a viré au rouge, nous sommes dans l'ombre obscure de la dune et il me pose sur l'herbe, mes mains se mettent aussitôt au travail sur mon corsage, les boutons, le nœud, le corsage n'est plus sur moi et Ben est devant moi pendant que je m'affaire, il observe mes mains, observe ce qui sera révélé en dessous. Le corsage s'en va et puis mon soutien-gorge et Ben sourit à mes mamelons, la jupe s'en va et puis mon slip, nous voilà sur l'herbe et ma main s'avance vers cette partie de son corps que je peux enfin voir dans ma tête, maintenant elle est passionnée pour moi, autrement moins impressionnée et rétractée qu'elle ne l'était avec la mer, et si je suis tellement plus excitante pour son corps que la mer de Chine méridionale, je n'ai pas le droit de le retenir, car je suis riche de ma propre mer intérieure et je vais le mouiller et le laver maintenant, je l'attire en moi aussitôt, mon Ben, mon amour, il va entrer dans cet endroit où notre enfant a commencé à grandir.

Comme on se sent bien en elle, si bien, il y aura beaucoup d'autres nuits pour aller doucement, mais sur ce rivage cette nuit elle me veut en elle rapidement, elle m'attire là avec sa main, et j'entre en elle, je regarde la mer et la lune est là, je ne l'avais pas remarquée avant, alors qu'elle était là tout le temps, dissimulée dans sa pâleur, ne se montrant pas, mais à présent la lumière du jour s'est presque évanouie et la lune est apparue, grosse et dorée.

Je regarde son visage sous moi, ses yeux sont ouverts, elle est Tien, elle est elle-même, je remue en elle et il n'y a vraiment rien à craindre. Je suis sur la Route 1 au Viêt-nam et cette mer étrangère se déploie à côté de moi et sur ma peau, il n'y a rien de la guerre, rien de la mort, rien du passé, il n'y a que cette union entre moi et cette femme, cette Vietnamienne, cette femme que j'aime, et je suis en paix.

Et puis je me rue en elle et elle plante ses doigts dans mon dos, ses lèvres sont contre mon oreille et elle pousse un cri, doucement, là, et maintenant seulement nous voilà unis, maintenant seulement, seulement de cette façon-ci, tandis que nous partageons un corps unique, et puis nous ralentissons, nous nous arrêtons et nous restons étendus immobiles. Bien que je change de position et ne sois plus en elle, cette sensation entre nous ne se modifie pas, Tien se pelotonne contre moi, je la tiens dans mes bras et pendant longtemps nous restons étendus immobiles.

Le ciel s'obscurcit et déborde d'étoiles, la lune monte, rapetisse et devient si blanche qu'elle me fait presque mal aux yeux. Je crois que Tien dort un petit moment. Puis elle se réveille avec un léger sursaut. Je l'attire plus près et elle murmure : « Oui.

— As-tu rêvé ? »

Après un silence, elle dit : « Dans mon sommeil maintenant j'écoute mon corps.

— Que dit-il ? »

Elle se tait de nouveau, pendant longtemps. Puis elle demande : « Que ferons-nous demain ?

— L'amour. »

Elle se presse contre mon dos et se hisse directement sur moi, sa poitrine surplombant ma poitrine, ses jambes enlaçant mes flancs, son visage éclipsant la lune. « C'est une bonne réponse », dit-elle.

Je ne vois pas ses yeux dans l'obscurité, seulement le contour de sa tête. Je lève une main et du bout de mes doigts j'effleure ses lèvres, puis je remonte le long de sa joue, de son front, de l'arête de son nez, de son œil, sentant sa paupière se fermer pour moi, je la touche là et son œil remue sous mon doigt, la marque du rêve.

Je dis : « Est-ce que tu écoutes ton corps à l'instant même ?

— Oui. »

Elle ne m'a pas répondu la dernière fois, alors je laisse aller ma main de son visage à sa hanche et simplement j'attends.

« Je suis contente d'être née, dit-elle.

— Moi aussi.

179

— Mon père est mort.

— Oui. »

La lune s'enflamme dans mes yeux. La tête de Tien a bougé, elle se laisse glisser à côté de moi maintenant et j'aperçois son visage, je pivote vers elle, je me déplace pour l'embrasser et je vois ses yeux se tourner vers moi, ils sont noirs, noirs comme les espaces vides entre les étoiles, et je ferme les yeux au contact de nos lèvres. Nous nous embrassons, puis elle met fin à ce baiser avec douceur et je lève les yeux vers le ciel et la serre contre moi.

Elle dit : « J'ai failli ne pas naître. J'ai toujours pensé, de temps en temps, qu'en vérité ça ne changeait rien. Maintenant mon corps me dit que c'est très important que je sois vivante. »

Je pense à l'avortement. Que sa mère a failli laisser partir Tien. J'ai envie de lui dire que moi aussi je suis content qu'elle soit vivante, mais je sens quelque chose d'autre qui passe en elle. Je ferme les yeux contre l'éclat de la lune et j'attends.

Et puis elle dit : « Ma mère a inventé un conte de fées pour moi autrefois. Elle a dit qu'il concernait mon père alors je pense qu'il y avait une histoire vraie là-derrière. Quand j'étais petite, j'adorais un conte de fées qui parlait d'un dragon, alors elle en a fait une histoire de dragons. Dans cette histoire mon père meurt à la fin. Mais en vérité c'était sur son père à lui, la partie où j'avais failli ne pas naître. »

J'ouvre les yeux. Je tourne la tête vers le ciel au-dessus de l'horizon, loin de la lune. Je sens un petit frémissement en moi, pareil au clignotement d'une des étoiles là-haut.

Elle dit : « Il se trouve qu'il a failli mourir, le père de mon père. Et si c'était arrivé, alors je ne serais jamais née. »

180

Quelque chose en moi me dit de rester simplement silencieux. Mais ce clignotement est en réalité un feu lointain. Je dis : «Quelle est cette histoire ? Comment a-t-il failli mourir ?

— C'est l'histoire d'un dragon — qui se trouve être mon grand-père — qui va chaque jour dans un trou ardent où il travaille… Quand je commence à raconter ça, ça a l'air bête. Je ne sais pas quelles parties sont vraies et quelles parties ne le sont pas.

— Non», dis-je, et ce qui peut bien m'inciter à écouter cette histoire suit sa propre volonté. J'ai l'impression d'avoir flotté loin le long de la plage. Je suis là-bas à fumer une cigarette pendant que cette autre partie de moi fait un truc idiot. «Ce n'est pas bête, dis-je. Quelle est l'histoire qu'elle racontait ?»

Tien cale sa tête dans le creux entre mon épaule et ma poitrine. Elle dit : «Les ennemis de mon grand-père essaient de le tuer dans ce trou ardent. Un endroit où il travaille. Mais il les combat et c'est lui qui les tue. Et c'est après tout ça que mon père est né. Alors tu vois, s'il était mort là-bas, mon père ne serait pas né, il ne serait pas parti pour un pays lointain et n'aurait pas rencontré la princesse — voici comment ma mère se voyait, j'imagine. Mais alors je ne serais pas née. Et alors…»

Elle s'arrête brusquement, mais il y a déjà quelque chose qui s'arrête en moi. Le clignotement a disparu, le feu a disparu, il n'y a plus que le froid à présent et un changement dans la pesanteur, un effondrement dans ma poitrine. J'essaie d'arracher quelque chose de cet endroit. L'histoire est trop familière. Trop familière. L'histoire que mon père m'a racontée sur lui descendant dans le fourneau B pendant la Dépression, et les gangsters du propriétaire de l'usine essayant de le tuer. C'était mon histoire, et la mère de Tien lui a raconté ce truc juste comme ça. Kim. Kim. Pourtant je n'arrive pas à me rappeler avoir jamais raconté à Kim l'histoire de mon père et de sa lutte à l'aciérie. J'essaie maintenant. J'essaie à toutes forces de me souvenir. Rien. C'est bien, me dis-je. Ce sont des histoires différentes.

Tien termine enfin sa réflexion. « Et alors je ne t'aurais pas fait l'amour. Je ne serais pas ici ce soir dans mon corps, ce dont je suis très contente. »

Je ne peux rien dire. Je pense à demander davantage de détails sur son conte de fées. Mais il parle de dragons, de trous ardents et de princesses — c'est soudain inimaginable que Kim ait pu se voir comme une princesse avec moi. Même dans une histoire inventée pour son enfant. Jamais. C'était un conte de fées et les contes de fées sont conçus pour vous faire penser à votre vie normale. Ce trou ardent pourrait être n'importe quoi. Mais je respire péniblement maintenant, je suffoque. Je me détache avec douceur de Tien et je m'assois.

« Qu'y a-t-il ? » demande-t-elle.

J'essaie de reprendre mon souffle. Il n'y a pas de raison de paniquer maintenant. C'était un conte de fées. Pourtant je me rends compte que nous devons continuer demain matin. Nous devons trouver la mère de Tien.

« Ben ? »

Je finis par dire : « Nous devons trouver nos vêtements avant que la lune descende. »

Mes mains s'avancent, s'attendant à trouver son corps, mes yeux sont toujours fermés mais je me hisse hors du trou noir du sommeil et il n'y a qu'un lit, un oreiller, la mer de Chine méridionale rugit et je m'assois vite. La porte de notre chambre est ouverte sur la mer, il y a des rouleaux et partout sur l'eau le soleil est fragmenté. La lumière me blesse les yeux. Je les abrite de la main. « Ben ? » dis-je et il n'y a rien. Je commence à sentir une panique en moi. «Ben», dis-je plus fort, mon sentiment crispé dans ce son.

Et puis une ombre tombe sur mes yeux. Ben est sur le seuil. Il entre, avance vers moi. Il est habillé. J'examine son visage, j'attends que mes yeux s'habituent. Il se tient au-dessus de moi et je le vois nettement à présent. Ses yeux sont tendres, mais quelque chose ne va pas.

«Qu'y a-t-il?» dis-je.

Il me prend la main. «Rien.»

Je me dresse sur les genoux, rapidement.

Il dit : «Ça va. Ce n'est rien.»

J'essaie de le croire. Je me rends compte que c'est dans ses yeux. Je suis nue ici devant lui, mais ses yeux restent fixés sur les miens. Je sais brusquement ce qu'il va nous faire faire. «Tu veux continuer la recherche, dis-je. Je me trompe?

— Gardons cette chambre. D'accord? Nous serons de retour ici au coucher du soleil.

— Tu n'es pas mon père.

— Bien sûr que non, dit-il, en tenant ma main serrée. Je le sais.

— Je ne demande pas de mère.

— Pense à *moi* comme étant l'enfant, dit-il. J'ai peur du tonnerre. Je sais qu'il ne peut pas me faire de mal, mais je l'entends et j'ai besoin d'être rassuré. Voilà ce que c'est.»

Il me vient à l'idée que ce serait le moment de lui parler de ce que, j'en suis sûre, il se passe dans mon corps. Il ne devrait plus y avoir de discussions de parents et d'enfants sinon pour cette chose réelle. Et si je m'étais réveillée et l'avais trouvé endormi à côté de moi, s'il avait été nu et que nous n'allions pas plus loin dans ce voyage, alors je l'aurais fait. Mais je ne laisserai pas notre enfant être mêlé à cette peur de Ben.

Je lui dis : « Dépêchons-nous autant que possible. Je veux te faire l'amour sur cette plage ce soir. »

Il devrait dire que c'est ce qu'il veut lui aussi. Mais non. Il me fait un signe de tête et s'éloigne, pour ne pas avoir à me voir nue, je suppose, quand je me lève. Je suis en colère. Je sens mon visage s'embraser comme si j'étais restée trop longtemps au soleil. Ben me tourne le dos. Il est de nouveau près de la porte. « Ben », dis-je.

Il se retourne. Je dis : « Est-ce que tu m'aimes ?

— Je te montrerai à quel point ce soir. »

Je me dis que c'est une bonne réponse. Je laisse ma colère s'en aller avec cette réponse. Il est très désorienté. Je le vois. Je ne sais pas pourquoi ça l'a repris. Ça a dû se passer sur la plage, après que nous avons fait l'amour. Peut-être qu'il a dormi, lui aussi, et qu'il a fait un mauvais rêve. Je quitte le lit et il me tourne déjà le dos une fois de plus.

Il a mis le moteur en marche quand je sors du bureau de la villa. Je monte et il demande : « Est-ce qu'elle savait où est le village ?

— Oui. Je vais te dire où aller. »

Il acquiesce et nous démarrons. J'ouvre ma vitre et garde le visage dans l'air marin. Je dois me préparer maintenant, à trouver ma mère peut-être. La femme de la villa a sorti une carte pour me montrer où se situe le village. Elle a deux cousins qui y vivent. Il s'appelle Trang Non, ce qui signifie « pleine lune ». Ce n'est pas un village de pêcheurs, comme je le pensais. Ils sont bûcherons et cultivateurs de café. Dans les montagnes près de la mer. Ma mère risque de ne pas être là-bas. Elle risque d'être morte. Mais si elle est vivante et que nous la trouvons, je ne dirai rien. Je traduirai pour Ben, si c'est nécessaire, mais seulement ce qu'il faudra pour qu'il se rende compte que cette femme lui est inconnue. Et puis nous partirons.

184

C'est toute la réflexion que je veux bien accorder à cette journée, et nous sortons en cahotant du chemin de terre pour prendre la Route 1, nous poursuivons notre voyage. Je ne vois que les tournants que nous devons prendre. Nous nous glissons dans Nha Trang le long du principal boulevard en bord de mer, planté de cocotiers, et puis nous franchissons deux ponts, nous traversons la ville et passons devant une grande statue blanche de Bouddha qui regarde la mer, ne désirant rien, sinon être assis au bord de la mer et être parfait, et nous empruntons le raccourci qui longe les plages de Hon Chong.

Il y a des montagnes près de nous, mais je ne regarde pas. Une de ces montagnes est censée ressembler à une princesse couchée qui a épousé un géant. Il l'a vue se baigner nue et a mis l'empreinte de sa main sur un gros rocher, et puis elle est morte. Ou quelque chose dans ce genre. Je ne me soucie pas de penser aux contes de fées en ce moment. Les choses sont brusquement tout à fait ce dont elles ont l'air. Nous roulons entre des montagnes et des rochers. C'est tout.

Et puis je dois trouver une petite route gravillonnée et nous ralentissons, je découvre l'endroit et nous commençons à grimper pendant un bon moment, puis la route repart vers la mer et nous sommes enveloppés d'arbres, la route se réduit à une seule voie, elle nous mène en cahotant au-delà d'un virage et devant nous il n'y a qu'un champ herbeux et un mur d'arbres. Nous nous arrêtons. Ben me regarde.

« Nous devons marcher à partir d'ici », dis-je.

Il coupe le moteur, tire le frein à main et nous restons assis silencieux pendant un moment. Il dit enfin : « Je suis désolé.

— Je sais. »

Et puis je me surprends à dire : « Désolé à quel point ? »

Il me regarde, un peu étonné.

Je le suis aussi, par l'agitation violente qui a démarré en moi.

«Que veux-tu dire?» demande-t-il.

Je dis : «Es-tu suffisamment désolé pour faire demi-tour maintenant, m'emmener loin d'ici et ne plus jamais repenser à tout ça?

— Nous avons fait tout ce chemin.

— J'ai peur. Si elle est ici. J'ai peur d'elle.

— Il n'y a rien à craindre.»

Il a raison. Je me hurle qu'il a raison. Si elle est ici, alors elle m'a abandonnée pour elle, rien que pour elle. Une partie de moi le craint. Mais c'est une vieille blessure. Cicatrisée depuis longtemps. Ça ne veut plus rien dire pour moi à présent. Je n'ai plus rien à craindre. Mais l'agitation continue. Née d'un vent plus sombre. Pourtant, s'il y a une autre peur, alors nous devons continuer, sinon cette crainte ne finira jamais.

Je prends alors le visage de Ben dans mes mains, je l'attire à moi et j'embrasse Ben sur la bouche, sans me soucier s'il est prêt à me rendre mon baiser, bien qu'il m'embrasse, mais pas assez, en vérité, pas autant que je l'embrasse, pourtant ça m'est égal. Ma mère ne viendra pas entre nous. Elle ne nous fera pas de mal. Je prendrai ces deux mains et je l'étranglerai à mort si nous la trouvons et qu'elle essaie de nous faire du mal à Ben et à moi. Mais elle sera une inconnue pour lui, et pour moi aussi, et nous serons bientôt de retour dans cette voiture.

«Ça va maintenant, dis-je. Je veux y aller et qu'on en finisse.

— Moi aussi», dit-il. Je m'attends à ce qu'il sorte aussitôt. Mais non. Maintenant il fait pivoter mon visage, du bout de ses doigts posés juste sous mon menton, et il m'embrasse sur les lèvres. À peine. Très vite. Mais il m'embrasse.

Je m'appuie contre la portière de la voiture et j'ai l'impression de ne pas avoir de forces. Je n'ai pas besoin d'une mère. Je pousse fort. C'est pour Ben. Et la portière s'ouvre, je bouge et je me retrouve dehors au milieu de l'endroit herbeux. L'herbe s'étend jusqu'à ce qui ressemble au bord d'une falaise, et au-delà il y a une tranche de mer. Nous avons déjà monté un bon bout de chemin. Sur le fond jade de l'eau il y a un bateau de pêche, au loin, avec une voile arrondie comme une épée chinoise.

Maintenant nous apercevons aussi un large sentier ouvert dans la rangée d'arbres et nous nous dirigeons par là. Mes jambes sont lourdes. Ben ne me prend pas la main. Nous voilà parmi les arbres et nous grimpons encore, des pins maritimes pendant un moment, qui se balancent au-dessus de nous, en silence, mes jambes me font mal à cause de la pente de ce sentier, je respire péniblement et j'entends Ben qui respire péniblement, ce sont deux respirations à présent, ça me frappe avec une grande violence, deux respirations séparées sur ce sentier, pas l'unique respiration d'hier soir, je touche le bébé et je grimpe. Finalement les pins s'éclaircissent, le sentier s'aplanit et nous débouchons dans le soleil éclatant et une autre clairière. À notre gauche il y a une pente douce, des caféiers plantés en rang, et face à nous, droit devant, enveloppé dans des fourrés de bambous et de saules, c'est le village. Un chien aboie devant nous, hors de vue, puis un autre.

« Attention aux chiens, dis-je à Ben. Les chiens de village peuvent être méchants. »

Elle me met en garde contre les chiens, et quel que soit l'endroit où je me cache dans ma tête depuis hier soir, j'en suis maintenant chassé. C'est ainsi que nous avons commencé, elle devrait m'en vouloir à mort ou avoir une trouille bleue, mais voilà qu'elle me met de nouveau en garde contre les chiens et dans sa voix il n'y a que du souci pour moi. C'est là devant nous. Il y a des bambous tout autour et quelques arbres, mais j'aperçois les toits en feuilles de palmier des maisons et un trait de fumée qui monte, je sens un feu de bois, les chiens aboient comme des fous. Je devrais lui dire : Tu as raison pour ce qui est de ces saletés de clébards, fichons le camp d'ici. Je me tourne vers elle et elle a disparu. L'espace d'un instant, je pense qu'elle redescend le sentier et que c'est bien. Qu'elle coure comme une dératée. Je vais la suivre. Elle peut simplement murmurer *Non bordel* et nous pouvons partir, et si je dois vivre avec des saloperies de peurs bizarres de temps en temps, je peux y arriver. Il n'y a simplement aucune façon de savoir avec certitude. Sauf si nous finissons aux États-Unis, ce que nous devrons faire j'imagine, il y a les groupes sanguins et l'ADN ou je ne sais quoi encore, donc il y a une façon et il faudra que je sache tôt ou tard, et un jour elle voudra savoir elle aussi. Du style, dès qu'elle commencera à penser à des enfants à nous.

Mais elle n'a pas filé. Elle s'éloigne vers la droite, vers la mer. Je la suis. Elle avance lentement et rêveusement, la mer est belle au loin là-bas, elle est propre et la ligne d'horizon est nette et large, simple, les choses sont simples là-bas, et bien que je ne puisse pas cacher ma peur maintenant, elle est trop proche — juste au bout du chemin et derrière un bambou ou un autre — je veux cette réponse pareille à l'entaille nette d'une épée, je sais qu'elle sera nette et que ça ira, une partie de moi le dit de plus en plus fort, au diable les contes de fées, et Tien s'avance au bord de la falaise et s'arrête.

Je monte derrière elle et pose mes mains sur ses épaules. Ses mains s'élèvent et touchent les miennes.

J'embrasse ses cheveux et puis je regarde au-delà, par-dessus le bord de la falaise, elle est à pic, elle tombe loin, très loin jusqu'aux rochers, jusqu'à la mer.

Nous restons debout comme ça pendant un long moment. La brise frissonne à nos oreilles mais les choses semblent très calmes, soudain. Nous avons fait l'amour hier soir au bord de cette mer. Elle est nôtre. Les mains de Tien sont sur les miennes. Je baisse les yeux vers elles, j'y vois les lunules et le grincement recommence en moi.

« Il est temps », dis-je.

Elle hoche la tête, se retourne et s'éloigne sans un mot ni une caresse de plus, je sens ce refus — soudain tout ce que je ressens pour ses mains c'est le désir de les prendre dans les miennes, d'embrasser ces lunules pâles — pourtant je la suis, dans l'herbe et sur un large chemin de terre, les arbres prennent le relais de chaque côté, puis les bambous font leur apparition et le sentier devient plus étroit, nous bifurquons une fois encore, encerclés par les tiges de bambous sectionnées comme de l'os, et soudain nous sommes devant une petite place entourée de maisonnettes de chaume et de palmes, avec au centre une grande citerne en pierre. Une femme est en train de plonger une louche dans l'eau de la citerne. Son visage est caché par un chapeau de paille conique. Un chien aboie tout près. Je regarde, il pointe son nez au coin d'une maison et quand mon regard croise le sien il disparaît. La femme tourne la tête. Elle est très âgée.

Tien s'avance vers elle, la vieille femme la salue et elles parlent quelques instants. D'abord Tien, puis la femme, puis de nouveau Tien, et la femme hoche la tête, c'est un oui net qu'elle dit et elle montre au-delà de la citerne, au bout d'un autre sentier, j'essaie de rester tranquille mais je ne peux pas, pas pendant un moment, je m'avance, Tien est en train de se tourner vers moi et son visage est très tendu.

Je dis : «Elle est ici.

— Il y a quelqu'un ici du nom de ma mère, dit-elle.

— Où?»

Tien dit encore quelques mots en vietnamien à la femme qui m'adresse un large sourire et hoche la tête sans arrêt, puis Tien s'éloigne, je la suis et c'est simplement difficile de marcher, de poser simplement un pied devant l'autre de façon normale, mais nous marchons quand même, plus lentement qu'avant peut-être. Tien a du mal à bouger.

«Ça va, lui dis-je. Je suis avec toi. Ce ne sera pas long.»

Elle lève la tête et me sourit. Mes paroles paraissent confiantes. Je suis peut-être confiant. Je le suis peut-être, ou je n'aurais pas envie de foncer au bout de ce sentier vers l'endroit, quel qu'il soit, où nous allons. Elle me touche la main, brièvement, et mon pénis s'agite aussitôt. Mais d'abord ça. D'abord ça.

Nous évoluons dans un autre labyrinthe de végétation, des poules s'égaillent devant nous, caquetant furieusement, plongeant dans une minuscule brèche dans les bambous, nous sortons du labyrinthe et Tien s'arrête.

Il y a deux maisonnettes de chaume devant nous. Elle se tourne vers l'une d'elles, sur la gauche. Devant, deux femmes sont accroupies sur leurs talons, les genoux à hauteur de visage, deux femmes d'âge mûr, asexuées, brunies par le soleil, les cheveux relevés en chignon, leurs chapeaux de paille à côté d'elles. Entre elles il y a un petit paquet, ouvert au couteau, de pâte de citron vert, un éparpillement de noix d'arec couleur de rouille et le vert pâle des feuilles de bétel, l'une des femmes, la plus proche, vient de rouler une prise de ce truc pour la mâcher. Deux femmes vieillissantes qui se défoncent un

samedi matin. La plus proche fourre le rouleau dans sa
bouche et lève les yeux vers nous, je ne regarde que sa
bouche, ses dents et ses gencives sont déjà rougies par
ce truc, et puis je regarde ses yeux, ils sont un peu
vitreux, ils croisent les miens et je ne sais pas comment
je sais, mais je sais, parce que je n'ai jamais porté son
visage en moi, sauf ses yeux, et ses yeux paraissaient
toujours mémorables parce qu'ils étaient comme tous les
autres yeux de ce pays, mais à présent ils sont devant
moi et ce sont ceux de Kim, cette femme est Kim, je
prends conscience de tout ça lentement et j'entends la
voix de Tien démarrer en vietnamien, elle est très lointaine et les yeux de Kim se détachent brusquement de
moi. Ça se passe là, maintenant. La voix de Tien s'es-
tompe dans ma tête mais Tien demeure, son odeur et la
pression de son corps demeurent et je me rends compte
que je suis complet. Mais je ne suis complet qu'avec son
corps et par son corps, le sien, celui de mon enfant, le
corps de mon enfant, le visage de Kim est sur sa fille et
il y reste encore et encore, il n'y a pas un son au monde
et je suis suspendu immobile dans un quelconque endroit
élevé, je tomberai, mais dans ce moment de suspension
je suis entier enfin, entier, et maintenant dans ce moment
un son éclate en moi, la mer de Chine méridionale, et
dans ce moment la nuit sous moi est la nuit du rivage
sous une lune dorée, le corps de Tien est imprimé sur le
mien, et dans cet acte de notre amour son cœur, son
esprit et sa voix sont là aussi, elle est dans mon sang et
je suis en elle, de toutes les façons en elle, et maintenant
c'est un geste qui va nous séparer, nous déchirer, mon
enfant et moi, parce que c'est pour elle que mon corps
fait ceci, pour mon enfant, une chaleur atroce naît dans
cette montée, dans cet endroit de mon sexe, une profonde et brûlante turbulence qui se propage rapidement
de mon entrejambe à mes jambes, à mes mains, à ma

tête, et le visage de Kim est sur le mien à présent, ses yeux se sont écarquillés et je regarde ma fille, ma maîtresse, mon corps la désire, la désire alors même que cette chose se propage en moi comme le feu dont je voudrais qu'il ait emporté mon père, qu'il l'ait emporté dans ce trou ardent et qu'il ait tué la semence sortie de moi qui repose à présent dans mon enfant, mon enfant à moi.

Ben et moi débouchons du sentier et la maison a devant elle deux silhouettes, mon cœur bat si fort que je le sens dans ma gorge, ces silhouettes sont toutes les deux des femmes et ce sont des femmes ordinaires, des femmes de classe inférieure, qui se droguent à l'arec et au bétel, la maison est loqueteuse, de la pire construction, des branchages et du bambou, sans plan, liés avec de la corde de palmier, et je ne regarde même pas les visages de ces femmes. Il y a un flot âcre en moi, comme les gaz fumeux des motos en ville, je veux que tout ça soit terminé maintenant. Je dis dans ma langue maternelle : «Je cherche Le Thi Huong.»

Le visage le plus proche de moi pivote et le flot s'arrête. Je deviens très calme à l'intérieur. Ses yeux montent vers moi, ils sont sans expression. Elle ne me reconnaît pas. Je n'étais qu'une enfant quand elle m'a vue pour la dernière fois. Mais je connais ce visage. Elle n'est pas morte. Elle était accroupie là depuis tout ce temps, à mâcher et oublier, elle a sauvé sa vie d'une menace qui n'a jamais existé, et ensuite elle n'a rien voulu du passé, pas même sa fille. Je n'ai rien à lui demander maintenant. Rien à dire. Il ne reste qu'une chose et je n'ai même pas besoin d'elle pour ça. Ben sait déjà qu'elle lui est inconnue. Pourtant j'entends ma voix former les mots quand même. Je dis : «Connaissez-vous cet homme ?» et je sais déjà la réponse, je vais l'entendre, et Ben et moi nous nous en irons, je ne lui dirai jamais qui je suis.

Je suis le mouvement de son visage, ses yeux qui s'élèvent, repartent vers Ben, je regarde Ben, ses yeux sont fous bien qu'ils soient fixes, très fixes, ils ne bougent pas mais je sens la folie derrière eux, je regarde ma mère et ses yeux s'écarquillent, comme si elle avait regardé le ciel matinal et qu'un grand corps hirsute était brusquement apparu, cachant le soleil, prêt à tomber, les dents et les griffes lançant des éclairs, ils lancent des éclairs en moi à présent, la forme tombe en moi et commence à taillader, je me tourne vers Ben une dernière fois, cherchant désespérément à voir là une bouffée de soulagement, un rire, mais il tourne ses yeux fous vers moi, ils sont si beaux, ces yeux, ces yeux sombres, toute la tendresse dont j'ai jamais rêvé est là dans ces yeux, mes mains brûlent de plonger vers ce centre doux et dur en lui, d'attirer son corps dans le mien, à ce moment-là, à ce moment précis, je veux me cramponner au corps secret de mon père et je pousse un cri, je m'entends crier une chose sans mots et je sais que quelle que soit l'horreur qui réside dans ce son il y a aussi mon amour de femme pour lui, je brûle comme une maîtresse pour mon père et je m'échappe, j'avance dans l'ombre des bambous, j'oblique dans le sentier et maintenant je suis en train de courir, mon pied tombe et retombe, le mouvement chaque fois caresse cette partie secrète de mon corps et Ben est dans ma tête, nous sommes au bord de la mer, c'est la nuit et il tombe en moi, retombe et me caresse, je jaillis du sentier et traverse la petite place, passe devant la citerne, je sais où je vais maintenant et je palpite dans mon sexe, je palpite là et je pousse un autre cri à cette chose atroce, il n'y a rien pour l'arrêter sinon cette chose que je dois faire et me voilà de nouveau sur le sentier qui sort du village puis dans le champ sous le ciel.

Je ralentis, je ralentis, je tremble dans mon sexe et ici je suis presque aveuglée par le soleil, je pousse mon corps en avant, en avant, la mer de Chine méridionale attend et mes yeux se dégagent, la mer est énorme, c'est une obscurité verte comme l'intérieur sombre du banian, j'avance, je pense à mon enfant et le tremblement rend difficile de poser un pied devant l'autre maintenant, c'est l'enfant de mon père qui est en moi, et cela le tremblement le sait, c'est clair dans le sentier secret que je longe à présent à travers ce champ : nous ne pouvons pas tous rester dans cette vie ensemble, nous ne pouvons pas rester.

J'avance plus vite et la mer devient plus grande, le bord est proche et le vent me fouette mais je suis plus forte que lui, je vais y aller maintenant, la coupure nette du bord de la falaise sera à moi, un autre pas, un autre encore, et une chose dure m'encercle brusquement, un bras passe autour de ma taille et me tire en arrière avec violence, la voix de Ben est dans mon oreille. « Tien. » Le bras se desserre, je me retourne et son visage est au-dessus de moi, emplissant le ciel, ses yeux sont profonds, je pourrais y sauter, je pense, je pourrais m'y noyer, il s'écarte de moi, rien qu'un petit peu, juste un instant, et nos yeux se touchent, nous nous touchons encore et je dis le mot que je n'ai pas l'intention de dire, que je ne veux pas dire, je dis « Père », nous essayons de nous accrocher à ce mot, je sens Ben peiner comme moi en essayant de retenir ce mot entre nous, le désir est fou en moi, je le sens en lui et puis nous sommes dans les bras l'un de l'autre, nos bouches se touchent à cause de ce désir et de ce que je sais être un adieu, je suis prête à partir mais il dit : « Seulement l'un de nous, ma chérie », et ses bras se retirent, il est une tache floue maintenant, je ne peux pas bouger, il se retourne et il fait un pas en avant, il saute, il vole, il vole, il n'est plus là.

Père, je suis là. J'élève la flamme sombre de l'encens pour toi. J'offre à ton esprit la paix qui vient de l'amour, des prières et de la dévotion de ta fille, et je te demande l'harmonie et la paix qu'un père peut donner à sa famille.

J'attends. Je ne te reproche pas cette douleur. C'est la souffrance qui vient du désir, mon amour. Je désire le mensonge de nos deux nuits de caresses. Leur vrai mensonge. Je désire, également, ce moment accrochée à ton dos. Je trouverais la paix là seulement. J'allume un autre bâtonnet d'encens maintenant, puis un autre. J'emplirais mes poumons de la fumée de ton âme. Je te demande de me donner la paix, alors même que je te l'offre. Nous essaierons chaque soir. Nous essaierons.

Mon père, mon amour, en ce jour, un mois après sa naissance, j'ai emmené notre fille dans une pagode, un moine a versé une eau spéciale prise sur l'autel dans une fleur de jasmin. Puis j'ai tenu la petite devant une grande statue en bois de santal de Long Vuong, le roi Dragon, et les yeux sombres de notre fille étaient ouverts, elle était très calme, le moine m'a mis la fleur dans la main et je l'ai portée doucement au-dessus du visage de notre fille. Ma main était très ferme, père, et la petite a attendu avec une grande patience, une patience que je prie d'apprendre d'elle. J'ai incliné la fleur très lentement, l'eau s'est enflée, enflée, puis une goutte unique s'est formée à l'extrémité effilée d'un pétale, et comme si elle savait ce qu'était ce cadeau, notre fille a ouvert la bouche et la goutte est tombée sur sa langue.

Père, ses paroles seront douces comme le jasmin toute sa vie. Un jour ses douces paroles se joindront aux miennes et je m'élève avec cette fumée vers toi. Elle nous rachètera, mon chéri. Elle t'aimera, toujours, de l'amour pur d'un enfant qui doit la vie à son père. Et je t'aimerai, aussi, comme il m'a été donné de le faire, toujours.

Rivages poche / Bibliothèque étrangère

Harold Acton
Pivoines et poneys (n° 73)

Sholem Aleikhem
Menahem-Mendl le rêveur (n° 84)

Kingsley Amis
La Moustache du biographe (n° 289)

Jessica Anderson
Tirra Lirra (n° 194)

Reinaldo Arenas
Le Portier (n° 26)

James Baldwin
La Chambre de Giovanni (n° 256)

Melissa Bank
Manuel de chasse et de pêche à l'usage des filles (n° 326)

Quentin Bell
Le Dossier Brandon (n° 102)

Stefano Benni
Baol (n° 179)

Ambrose Bierce
Le Dictionnaire du Diable (n° 11)
Contes noirs (n° 59)
En plein cœur de la vie (n° 79)
En plein cœur de la vie, vol. II (n° 100)
De telles choses sont-elles possibles ? (n° 130)
Fables fantastiques (n° 170)
Le Moine et la fille du bourreau (n° 206)

Elizabeth Bowen
Dernier automne (n° 265)

Paul Bowles
Le Scorpion (n° 3)
L'Écho (n° 23)
Un thé sur la montagne (n° 30)

Mary Elysabeth Braddon
Le Secret de lady Audley (n° 340)

Achevé d'imprimer sur rotative
par l'Imprimerie Darantiere à Dijon-Quetigny
en avril 2001

Dépôt légal : 2ᵉ trimestre 2001
N° d'impression : 21-0445